VOCÊ É FODONA!

VOCÊ É FODONA!

PARE DE DUVIDAR DO SEU POTENCIAL E COMECE A VIVER UMA VIDA INCRÍVEL

JEN SINCERO

Tradução de Márcia Frazão

ROCCO

Título Original
YOU ARE A BADASS
How to Stop Doubting Your Greatness
And Start Living an Awesome Life

Copyright © 2013 by Jen Sincero

Primeira publicação nos EUA por Running Press, um selo da Perseus Books, uma divisão da PBG Publishing, LLC, uma subsidiária da Hachette Book Group, Inc.

Este livro não pode ser reproduzido no todo ou em parte, sob qualquer forma eletrônica ou mecânica, inclusive fotocópia, gravação ou sistema de armazenagem e recuperação de informação, sem a permissão, por escrito, do editor.

Nota do editor:
Publicado anteriormente com o título *Você é fera*.

Direitos para a língua portuguesa reservados
com exclusividade para o Brasil à
EDITORA ROCCO LTDA.
Rua Evaristo da Veiga, 65 – 11º andar
Passeio Corporate – Torre 1
20031-040 – Rio de Janeiro – RJ
Tel.: (21) 3525-2000 – Fax: (21) 3525-2001
rocco@rocco.com.br | www.rocco.com.br

Printed in Brazil/Impresso no Brasil

Preparação de originais
SARAH OLIVEIRA

CIP-Brasil. Catalogação na fonte.
Sindicato Nacional dos Editores de Livros, RJ.

S623v   Sincero, Jen

    Você é fodona: pare de duvidar do seu potencial e comece a viver uma vida incrível / Jen Sincero; tradução de Márcia Frazão. – 1ª ed. – Rio de Janeiro: Rocco, 2020.

    Tradução de: You are a badass
    ISBN 978-85-325-3184-1
    ISBN 978-85-8122-798-6 (e-book)

    1. Motivação (Psicologia). 2. Técnicas de autoajuda. 3. Autorrealização. I. Frazão, Márcia. II. Título.

20-62828   CDD-158.1   CDU-159.923.2

Meri Gleice Rodrigues de Souza – Bibliotecária CRB-7/6439
O texto deste livro obedece às normas
do Acordo Ortográfico da Língua Portuguesa.

Para meu pai e meu irmão Stephen, sempre amáveis e solidários

E assim, após todo esse tempo,
o Sol jamais disse para a Terra,
"Tu deves a mim."
Veja o que acontece com um amor como esse. Ele ilumina o céu.

– Rumi

SUMÁRIO

Introdução 9

PARTE 1
COMO VOCÊ CHEGOU A ESSE PONTO

Capítulo 1: A culpa é do meu inconsciente 18
Capítulo 2: Aquela palavra que começa com D 28
Capítulo 3: Presente como um pombo 35
Capítulo 4: O Grande Dorminhoco 41
Capítulo 5: A autopercepção é um zoológico 49

PARTE 2
COMO ABRAÇAR SUA FERA INTERIOR

Capítulo 6: Ame quem você realmente é 54
Capítulo 7: Eu sei o que você é, mas o que eu sou? 66
Capítulo 8: O que você está fazendo aqui? 74
Capítulo 9: O Homem da Tanga 84

PARTE 3
COMO BEBER DA MATRIZ

Capítulo 10: Meditação 101 90
Capítulo 11: Você manda no seu cérebro 97
Capítulo 12: Guie com as curvas 106

Capítulo 13: Dê e deixe dar   114
Capítulo 14: Gratidão: o portal para uma vida incrível   118
Capítulo 15: Perdoar ou perder   127
Capítulo 16: Largue o osso, Wilma   136

PARTE 4
COMO OBTER O SEU BACHARELADO COM RAPIDEZ

Capítulo 17: Fica muito mais fácil quando se descobre
              que não é difícil   142
Capítulo 18: Procrastinação, perfeição e um bar polonês   157
Capítulo 19: O drama da opressão   164
Capítulo 20: Medo é para otários   175
Capítulo 21: Milhões de espelhos   186
Capítulo 22: A doce vida   199

PARTE 5
COMO ARRASAR DE VEZ EM QUANDO

Capítulo 23: A decisão soberana   202
Capítulo 24: Dinheiro, o seu novo melhor amigo   213
Capítulo 25: Lembre-se de ceder   238
Capítulo 26: Fazer *versus* enganar   244
Capítulo 27: Não esquenta, Scotty   257

Fontes   261

Agradecimentos   271

INTRODUÇÃO

Você pode começar com nada e, do nada e da falta de caminho, surgirá um caminho.

– **Reverendo Michael Bernard Beckwith**; ex-entusiasta das drogas que se tornou um entusiasta espiritual e também um fera inspiracional

Uns anos atrás, eu achava que frases como essa não passavam de uma grande besteira. Também não conseguia entender sobre que diabos elas estavam falando. Quer dizer, não que eu me importasse. Eu era muito *cool* para isso. Achava o pouco que eu conhecia sobre autoajuda/espiritualidade de uma breguice imperdoável: cheirava a desespero, papo furado de igreja e abraços indesejados de estranhos inconvenientes. Isso sem falar que eu era extremamente ranzinza a respeito de Deus.

Mas ao mesmo tempo desejava desesperadamente mudar muitas coisas na minha vida, de modo que, se eu fosse capaz de superar minha atitude de superioridade, isso poderia ser válido de alguma forma. Quer dizer, no geral, eu me saía muito bem – alguns livros publicados, dezenas de bons amigos, uma família unida, um apartamento, um carro que funcionava, comida, dentes no lugar, roupas, água potável; enfim, comparada à maior parte do planeta, minha vida era um doce de coco. Mas, se confrontada com o que eu sabia que era capaz de fazer, eu não estava, digamos, muito impressionada.

Minha sensação era: *Qual é, isso é o melhor que eu consigo fazer? Sério? Ganhar só o suficiente para pagar o aluguel do mês? De novo? E vou passar outro ano saindo com um bando de caras esquisitos só para estar nesses relacionamentos instáveis, não assumidos, e inventar ainda mais problemas? Sério? Estou mesmo disposta a duvidar do meu verdadeiro propósito e me chafurdar nesse atoleiro de desgraça pela milionésima vez?*

Era um porre.

Era como se eu me arrastasse em uma vidinha morna, com picos ocasionais de grandiosidade aqui e ali. E o mais doloroso é que no fundo eu SABIA que dentro de mim morava uma *rock star*, com o poder de amar e ser amada da melhor forma, que poderia saltar sobre os prédios mais altos de um só embalo e realizar tudo o que eu imaginasse e... *Mas o que é isso? Outra multa de trânsito? Só pode ser brincadeira, não acredito. Não tenho dinheiro para pagar, é, sei lá, a terceira esse mês! Vou ter uma conversinha com o guarda agora mesmo...* então, *lá lá lá*, lá estava eu novamente sendo consumida por bobagens, só para me pegar, algumas semanas depois, me perguntando como aquelas poucas semanas haviam passado tão rápido e por que eu ainda estava enfurnada num apartamento caindo aos pedaços, jantando *tacos* baratos todas as noites.

Se você está lendo isso, imagino que existam áreas de sua vida que não estão lá muito boas. E que você sabe que poderiam estar bem melhores. Talvez você esteja vivendo com sua alma gêmea, compartilhando alegremente seus dons com o mundo, mas talvez estejam sem dinheiro que o cachorro de vocês tem que se virar por conta própria se quiser comer. Talvez você esteja bem em termos de grana, e quem sabe até em profunda conexão com seu propósito mais elevado, mas não consegue se lembrar da última vez que riu a ponto de molhar as calças. Talvez você seja igualmente um horror em todos os itens acima e passe todo seu tempo livre chorando. Ou bebendo. Ou se aborrecendo com esses fiscais de trânsito que estão sempre no lugar certo, na hora certa, mas não têm senso de humor nenhum, e que na sua cabeça são responsáveis em parte por sua crise financeira. Ou talvez você tenha tudo que sempre quis, mas por alguma razão ainda se sente insatisfeito.

Isso não precisa ser obrigatoriamente sobre como ganhar milhões de dólares, ajudar a resolver os problemas do mundo ou ter o seu próprio programa de TV, a menos que esses sejam seus projetos. Seu desejo mais íntimo pode simplesmente ser cuidar da família ou cultivar a tulipa perfeita.

Isso tem a ver com descobrir da forma mais clara possível o que faz você se sentir feliz, se sentir mais vivo, e então tornar isso realidade em vez de fingir que é impossível. Ou que você não merece. Ou que você é um idiota-egoísta-ganancioso por querer mais do que já tem. Ou dar ouvidos ao papai e à tia Mary sobre o que você *deveria* estar fazendo.

Isso tem a ver com ter coragem para despertar a versão mais brilhante, mais feliz, mais fera de si mesmo, não importa que versão seja essa.

A boa notícia é que, para fazer isso, você só necessita de um ajuste:

Você precisa deixar de apenas **querer** mudar sua vida para **decidir** transformá-la.

•••
Querer é um sentimento que podemos ter sentado no sofá com um *bong* na mão e uma revista de viagens no colo.

Decidir significa mergulhar de cabeça, fazer tudo o que for preciso e correr atrás dos próprios sonhos com a obstinação de uma líder de torcida que ainda não arrumou companhia a uma semana do baile de formatura.
•••

Provavelmente vai ter que fazer coisas que nunca imaginou, porque, se algum de seus amigos visse você fazendo isso ou gastando dinheiro com isso, você nunca mais viveria em paz. Ou porque eles ficariam preocupados com você. Ou não seriam mais os seus amigos pois agora você é esquisito, diferente. Você vai ter que acreditar em coisas que não pode ver ou em coisas das quais tem provas irrefutáveis de que são impossíveis. Você vai ter que enfrentar seus medos, errar repetidas vezes e adquirir o hábito de fazer coisas às quais não está acostumado. Você vai ter que abandonar crenças que o limitam e se agarrar à decisão de tornar realidade a vida que deseja, como se sua própria vida dependesse disso.

Sabe por quê? Porque sua vida depende mesmo disso.

Por maior que pareça o desafio, isso é quase tão forte quanto acordar no meio da noite com a sensação de que há um carro estacionado sobre o seu peito, destroçado diante da perspectiva de que sua vida está passando diante dos seus olhos e você precisa encontrar um propósito para ela o quanto antes.

Talvez você já tenha ouvido histórias a respeito de pessoas que experimentaram grandes transformações na hora em que a

INTRODUÇÃO

merda bateu no ventilador – encontraram um nódulo no corpo, ou tiveram a eletricidade cortada, ou estavam a um passo de ter relações sexuais com estranhos para comprar drogas, e que de repente acordaram transformadas. Mas você não precisa chegar ao fundo do poço para começar a rastejar para fora do buraco. Tudo que você precisa fazer é tomar uma decisão. E você pode fazer isso nesse momento.

Existe uma ótima frase da poeta Anaïs Nin que diz: "E chegou o dia em que o risco de continuar presa no botão era mais doloroso que o risco de florescer." Foi assim para mim, como acredito que seja para a maioria das pessoas. Minha jornada foi um processo (e ainda é) que começou com minha *decisão* de fazer mudanças sérias, independentemente do necessário para realizá--las. Nada do que eu havia tentado tinha funcionado: ruminar eternamente sobre os problemas com meu terapeuta e com meus amigos igualmente falidos, trabalhar como uma louca e depois sair para tomar uma cerveja e esperar que isso fosse resolver as coisas por mágica... Eu tinha chegado ao ponto em que tentaria qualquer coisa para me recompor, e, *minha-nossa-senhora*, era como se o Universo estivesse testando minha determinação.

Fui a seminários motivacionais, onde me fizeram usar crachás e saudar a pessoa ao lado enquanto gritava: "Você é incrível e eu também!" Esmurrei o travesseiro com um taco de beisebol e gritei como se estivesse em chamas, entrei em contato com meu guia espiritual, participei de uma cerimônia coletiva na qual casei comigo mesma, escrevi uma carta de amor para o meu útero, li todos os livros de autoajuda que existem e gastei uma enorme soma de dinheiro que não tinha contratando *coaches*.

Basicamente, eu me sacrifiquei pela equipe.

Se você é novato no universo da autoajuda, espero que este livro o ajude a compreender alguns conceitos básicos que mudaram totalmente a minha vida para que você concretize suas mudanças sem querer fugir aos gritos durante o processo. Se você já mergulhou o dedão do pé no lago da autoajuda, espero que este livro lhe diga alguma coisa de um jeito novo e que se torne uma luz para você operar mudanças importantes e obter resultados tangíveis para um dia você acordar tomado pela emoção, incrédulo ao constatar que encontrou seu verdadeiro eu.

E, se eu puder impedir uma pessoa só que seja a ter que marcar hora para que sua criança interior possa se expressar, meu trabalho terá valido a pena.

Ganhar dinheiro era meu principal objetivo quando comecei a me trabalhar. Eu não tinha a menor ideia de como fazer isso de maneira consistente, e a princípio foi bem esquisito admitir que meu desejo era esse. Eu era escritora e musicista; acreditava que seria suficiente – e bastante nobre, também, muito obrigada – me concentrar na minha arte e deixar que a parte financeira se resolvesse sozinha. ISSO era muito bom! Mas eu via as pessoas fazerem coisas desprezíveis e angustiantes só para ganhar dinheiro, sem falar das que tinham empregos *tãããããão* chatos, que eu não queria fazer parte daquilo. Somando isso a uma dezena de convicções paralisantes que eu tinha sobre dinheiro ser uma coisa ruim, é de espantar que eu não estivesse catando comida no lixo.

Por fim, percebi que além de me concentrar em ganhar dinheiro eu também precisava superar o medo e a aversão que sentia por ele se quisesse começar a atraí-lo. Foi quando os livros de autoajuda começaram a invadir minha casa e os crachás assumiram seu espaço obrigatório e humilhante acima no meu peito esquerdo. Acabei levando minha dívida do cartão de crédito a um patamar inimaginável, mais dinheiro do que já tinha gastado com todos os meus carros ferrados, para contratar meu primeiro *coach*. Nos primeiros seis meses, tripliquei a minha renda com um

INTRODUÇÃO

negócio *on-line* para treinar escritores. E agora esse serviço cresceu tanto, que posso pagar as contas e me dar ao luxo de viajar livremente pelo mundo, ao mesmo tempo em que escrevo, dou palestras, escuto música e aconselho pessoas nas mais diversas áreas de suas vidas, utilizando muitos conceitos que me faziam revirar os olhos de descrédito, mas pelos quais agora estou obcecada.

Para ajudá-lo a chegar aonde você deseja, peço que você também abrace algumas sugestões excêntricas contidas neste livro, e quero incentivá-lo a manter a mente aberta. Aliás, pensando bem, quero gritar na sua cara: ABRA SUA MENTE OU VOCÊ VAI SE DAR MAL! De verdade. Isso é essencial. Você chegou aonde está agora graças ao seu comportamento e, caso esteja descontente com esta situação, é claro que vai precisar realizar mudanças.

• •
Para poder viver a vida que nunca viveu, você tem que fazer coisas que nunca fez.
• •

Não me importa quão fracassado ou fracassada você talvez se sinta nesse momento; o fato de você saber ler, poder dedicar tempo à leitura deste livro e ter tido o dinheiro para comprá-lo já o coloca em vantagem no jogo.

Mas não é para se sentir culpado, magoado nem superior por causa disso. É preciso se sentir grato por isso e tomar a decisão de se lançar de cabeça nessa jornada porque você está muito bem posicionado para abandonar a inércia e compartilhar sua grandiosidade com o mundo. Porque, na verdade, tudo se resume a isso.

Precisamos de pessoas inteligentes, com mentes e corações amplos e criativos para requisitar a riqueza, os recursos e o apoio necessários para fazer a diferença no mundo.

Precisamos de pessoas que se sintam felizes, realizadas e amadas, de modo que não se descontrolem nem descontem seus problemas nos outros, no planeta e nos nossos amigos animais.

Precisamos nos cercar de pessoas que irradiem amor-próprio e abundância, de modo que não passemos para as futuras gerações crenças distorcidas como *dinheiro é ruim, não sou bom o suficiente e não consigo viver da maneira que eu queria.*

Precisamos de pessoas destemidas, que não ficam se debatendo e vivem uma vida plena, com um propósito, de modo a inspirar outras pessoas que também querem crescer.

A primeira coisa que eu peço é para você acreditar que vivemos num mundo de possibilidades ilimitadas. Não me importa se sua experiência diz que você jamais vai parar de se empanturrar de comida, ou que as pessoas são essencialmente más, ou que você não consegue manter um relacionamento mesmo literalmente se algemando à outra pessoa – tenha certeza de que tudo é possível, mesmo assim.

Pague pra ver – o que você tem a perder? Se depois de ler este livro inteiro você decidir que tudo nele não passa de bobagem, pode voltar para sua vidinha medíocre. Mas talvez, se você deixar a descrença de lado, arregaçar as mangas, correr alguns riscos e se lançar de cabeça nessa jornada, um dia você vai acordar e perceber que está vivendo justamente a vida que antes tanto invejava.

PARTE 1

∞

Como você chegou a esse ponto

CAPÍTULO 1

A CULPA É DO MEU INCONSCIENTE

Você é vítima das suas próprias regras.

— Jenny Holzer; artista, pensadora, brilhante na hora de mandar a real

Muitos anos atrás, sofri um acidente terrível durante uma partida de boliche. Eu e meus amigos estávamos em meio a um emocionante desempate, e eu estava tão concentrada em dar um grande show na última jogada – disparando em direção à pista, cantando vitória em alto e bom som, dançando e rodopiando enquanto arremessava a bola – que não prestei atenção aos meus pés quando lancei a bola.

Foi nessa hora que aprendi o quanto a comunidade do boliche era séria no que diz respeito a punir aqueles que ultrapassam a linha, mesmo um dedinho que seja. Eles espalham óleo, cera, lubrificante ou qualquer outra coisa incrivelmente escorregadia ao longo da pista, e quem por acaso ultrapassa os limites na tentativa de fazer uma jogada perfeita vai sem dúvida acabar com os pés para o alto e de bunda no chão sobre uma superfície tão dura que não racha nem com o impacto de uma bola de boliche.

Algumas semanas depois, conversando na cama com um cara que eu tinha conhecido na loja de departamentos, contei que após o acidente passei a acordar no meio da noite com uma dor lancinante nos pés. De acordo com meu acupunturista, a dor vinha dos nervos das costas atingidos durante o tombo, de modo que eu precisaria de um novo colchão, mais firme, para voltar a dormir a noite toda.

– Eu também sinto dores nos pés quando durmo! – ele disse, erguendo-se para me oferecer a mão espalmada em cumprimento não correspondido.

Não foi só por detestar essa coisa de *high-five* que deixei ele no vácuo, mas também porque me irritei com ele. Comprar um colchão já é algo totalmente bizarro e constrangedor – ficar deitada de lado, com um travesseiro entre as pernas, cheio de bisbilhoteiros em volta me olhando –, mas fazer isso com o vendedor deitado ao meu lado, oferecendo cumprimentos embaraçosos, era mais do que eu aguentava.

Não pude deixar de notar que todos os outros vendedores simplesmente se postavam ao pé da cama, enumerando as vantagens de cada colchão enquanto os clientes experimentavam uma infinidade de posições, exceto o que me atendia. Ele se recostou ao meu lado, os braços cruzados sobre o peito, e começou a falar cheio de empolgação, olhando para o teto, como se estivesse num acampamento de verão. Quer dizer, ele era bacana e incrivelmente bem-informado sobre molas, látex e espuma de memória, mas fiquei com medo de virar para o lado porque ele poderia se abraçar de conchinha em mim.

Será que eu tinha sido simpática demais? Será que não devia ter perguntado de onde ele era? Será que ele achou que eu estava sugerindo alguma coisa quando dei uma batidinha no espaço vazio ao meu lado para testar o travesseiro?

Obviamente, eu devia ter dito ao maluco para se levantar daquela maldita cama, ou encontrado alguém que me ajudasse de verdade, em vez de me esgueirar até a saída e desperdiçar a única oportunidade na semana para escolher um colchão, mas não quis que ele ficasse constrangido.

Eu não quis que *ele* ficasse constrangido!

Essa é justamente a forma como minha família foi educada para lidar com qualquer tipo de interação potencialmente desconfortável. Junto ao método infalível de correr na direção oposta, nossa caixa de ferramentas para esse tipo de ocasião também incluía ficar paralisado, falar sobre o tempo, dar branco e explodir em lágrimas assim que se chega a um lugar onde ninguém está vendo.

Nossa inaptidão para gerenciar conflitos não causava grande surpresa, já que minha mãe vem de uma longa linhagem de WASPs (brancos, anglo-saxões e protestantes). Os pais dela eram do tipo que achava que crianças são para ser vigiadas, mas não ouvidas, e que olhava para qualquer demonstração de sentimentos com o mesmo desdém horrorizado normalmente reservado a uísque barato e pessoas que não estudaram numa universidade da Nova Inglaterra.

E mesmo que minha mãe tenha proporcionado um lar acolhedor, amoroso e repleto de risadas precisei de muito tempo para aprender a reagir quando ouvia aquela frase aterrorizante: "Precisamos conversar."

Isso tudo é só para dizer que não é culpa sua se você está na merda. É culpa sua se você *permanece* na merda, mas as bases dessa situação vêm sendo passadas de geração para geração, como um brasão de família, ou aquela receita sensacional de broa de milho, ou, no meu caso, enxergando qualquer confronto como algo tão grave quanto uma insuficiência cardíaca.

Quando você chegou a este planeta aos berros, era um autêntico pacotinho de alegria, uma criaturinha de olhos arregalados incapaz de fazer nada além de viver o aqui e agora. Você não fazia ideia de que possuía um corpo, muito menos de que deveria se envergonhar dele. Quando olhou em volta, as coisas apenas *eram*. Até onde você sabia, nada no mundo era assustador, nem muito caro ou fora de moda. Quando alguma coisa se aproximava de sua boca, você devorava, e se estava ao alcance das suas mãos, você agarrava. Você era simplesmente um *ser* humano.

Enquanto explorava e expandia seu novo mundo, você também recebia mensagens de pessoas ao redor sobre como as coisas funcionavam. A partir do momento em que você já era capaz de entender, começaram a te entupir com centenas de crenças, muitas das quais nada têm a ver com quem você realmente é ou com o que é de fato verdade (por exemplo, o mundo é um lugar perigoso, você está muito gorda, homossexualidade é uma maldição, tamanho importa, seu cabelo está muito comprido, é importante ir para a universidade, ser músico ou artista não é uma carreira de verdade etc.).

Seus pais, claro, eram a principal fonte desse tipo de informação, auxiliados pela sociedade em geral. Enquanto o criavam, no genuíno esforço para lhe dar proteção, educação e amor incondicional (assim espero), seus pais repassaram as crenças ensinadas pelos pais deles, os quais por sua vez aprenderam com os próprios pais, que também aprenderam com os pais...

O problema é que muitas dessas crenças não têm nada a ver com quem *eles* realmente são/eram, nem com o que é verdade.

Sei que, falando assim, parece que somos todos loucos, mas é porque, de certa forma, somos mesmo.

•••••••••••••••••••••••••••••••
A maioria das pessoas vive numa ilusão baseada nas crenças de outras pessoas.
•••••••••••••••••••••••••••••••

Até o dia em que elas acordam. Que é o que eu espero que este livro ajude você a fazer.

Funciona assim: em nossa mente humana, temos consciente e subconsciente. A grande maioria só se dá conta da mente consciente, pois nela são processadas as informações. É por meio dela que percebemos as coisas, julgamos, criamos obsessões, fazemos análises e críticas, nos preocupamos com o tamanho das nossas orelhas, decidimos parar de comer frituras para sempre, aprendemos que $2 + 2 = 4$, tentamos nos lembrar de onde raios deixamos as chaves do carro etc.

A mente consciente é como uma criança prodígio, pulando sem parar de um pensamento a outro, que só para durante o sono, mas retoma a atividade assim que abrimos os olhos. A mente consciente, também conhecida como lobo frontal, só termina de se desenvolver por completo na adolescência.

Por outro lado, o subconsciente é a parte não analítica do cérebro, que já está totalmente desenvolvida assim que chegamos à Terra. É dele que emergem sentimentos, instintos e os rompantes de birra no meio do supermercado. É também nele que armazenamos as primeiras informações que recebemos do mundo exterior.

A mente subconsciente acredita em tudo porque não tem filtro, não sabe diferenciar o que é verdadeiro do que não é. Se nossos pais dizem que ninguém na família sabe ganhar dinheiro, acreditamos neles. Se eles dizem que casamento é sinônimo de brigas, acreditamos neles. Se acreditamos neles até mesmo quando nos dizem que um cara gordo vestido de vermelho vai descer pela chaminé para nos trazer presentes, por que não acreditaríamos em todas as outras bobagens que eles nos oferecem?

O subconsciente é como uma criança que não sabe de nada e que – não por acaso – recebe a maior parte das informações quando somos pequenos e não conhecemos nada muito bem (já que o lobo frontal, a parte consciente do cérebro, ainda não está totalmente desenvolvido). Nós absorvemos informações por meio de palavras, sorrisos, suspiros pesados, movimentos de sobrancelhas, choros, risadas etc. das pessoas que nos cercam, sem nenhuma capacidade para filtrar essas informações, que são armazenadas em nosso pequeno e sensível subconsciente como "verdades" (também conhecidas como "crenças"), onde subsistem sem serem incomodadas nem questionadas por décadas, até nos deitarmos no divã de um analista ou darmos entrada numa clínica de reabilitação mais uma vez.

Posso praticamente garantir que cada vez que você se pergunta, aos prantos, "Qual a porra do meu problema?!", a resposta está em alguma crença idiota, limitadora e falsa dentro do seu subconsciente que você vem carregando pela vida afora sem nem perceber. Portanto, dar-se conta disso é de extrema importância. Que tal, então, recapitularmos?

1. O subconsciente contém nosso manual de instruções para a vida. Ele funciona baseado em informações não filtradas reunidas durante a infância, também chamadas de "crenças".

2. Estamos, durante um bom tempo, totalmente alheios a essas crenças subconscientes que orientam nossa vida.

3. Quando nossa mente consciente finalmente se desenvolve e aparece para trabalhar, ela continua sendo controlada pelas

crenças armazenadas no subconsciente, não importa quão grande, esperta e pomposa tenha se tornado.

• •

Nossa mente consciente pensa que está no controle, mas não está.

Nossa mente subconsciente não pensa em nada, mas *está* no controle.

• •

É por isso que muitos se arrastam pela vida fazendo tudo que sabemos conscientemente que tem que ser feito, sem jamais compreender o que os impede de construir a vida maravilhosa que todo mundo deseja.

Digamos, por exemplo, que você foi criado por um pai que estava sempre em dificuldade financeira, que andava pela casa chutando os móveis e resmungando que dinheiro dá em árvore, e que o negligenciava porque estava sempre ausente, tentando, sem sucesso, arrumar algum dinheiro. Seu subconsciente assimilou isso como uma *verdade incontestável* e talvez tenha desenvolvido crenças como as que se seguem:

• Dinheiro = luta

• Dinheiro é inacessível.

• Foi por falta de dinheiro que meu pai me abandonou.

• Dinheiro é uma merda e provoca dor.

Corta para você adulto: sua mente consciente adoraria estar nadando em dinheiro, mas ao mesmo tempo seu subconsciente desconfia dele, acredita que ele não está disponível, e teme que você possa ser abandonado por um ente querido se o conseguir. Pode ser então que você manifeste essas crenças subconscientes estando sempre falido, por mais que esteja *conscientemente* tentando ganhar dinheiro, ou sucessivamente ganhando e perdendo montanhas de dinheiro, para não ser abandonado, ou através de uma infinidade de maneiras igualmente frustrantes.

• •

Não importa o que você conscientemente deseja, se você tiver uma crença subconsciente de que esta coisa provoca sofrimento ou não foi feita para você, você ou A) vai se sabotar, ou B) vai conquistá-la, mas se sentirá muito mal por isso. E acabará perdendo tudo, no fim das contas.

• •

Não percebemos que, ao comer aquela quarta rosquinha ou quando ignoramos nossa intuição e nos casamos com aquele cara assustadoramente parecido com nosso pai depressivo e infiel, estamos sendo conduzidos pelo subconsciente, não pela mente consciente. E, quando nossas crenças subconscientes estão desalinhadas com aquilo que nossa mente consciente (e nosso coração) deseja, isso gera conflitos insolúveis entre o que estamos tentando construir e o que construímos de fato. É como se estivéssemos dirigindo com um pé no acelerador e o outro no freio. (É claro que todos nós também temos ótimas crenças subconscientes, mas não vamos falar delas agora.)

Eis alguns outros cenários:

Mente consciente: sonho encontrar minha alma gêmea e me casar.
Mente subconsciente: intimidade traz dor e sofrimento.
Dedo: sem aliança.

Mente consciente: quero perder 12 quilos.
Mente subconsciente: pessoas não são confiáveis; preciso construir um escudo para me proteger.
Corpo: uma fortaleza de gordura.

Mente consciente: sou gostosa, sexy e quero ter prazer.
Mente subconsciente: prazer físico é vergonhoso.
Vida sexual: *bocejo*

Mente consciente: quero viajar pelo mundo.
Mente subconsciente: diversão = irresponsabilidade = ninguém vai gostar de mim.
Passaporte: em branco.

É um pouco parecido com não conseguir se sentar na varanda porque está um cheiro insuportável lá fora. Você pode pensar em várias formas brilhantes de lidar com o problema – acender um incenso, ligar o ventilador, colocar a culpa no cachorro –, mas, até você se tocar de que tem um bicho morto debaixo da sua casa, seus problemas vão continuar lá, impregnando sua vida.

O primeiro passo para se livrar de crenças subconscientes limitadoras é se tornar ciente delas. Sem isso, você vai continuar usando a mente consciente (achar que precisa pintar a varanda) para resolver problemas enterrados bem mais fundo (tirar o gambá morto) no subconsciente, o que é pura perda de tempo.

Tire um minuto para examinar algumas áreas da sua vida que não estão "lá essas coisas" e pense se não existe alguma crença subjacente que possa estar causando isso. Vamos pegar, por exemplo, o bom e velho caso da falta de dinheiro. Você está ganhando muito menos do que sabe que seria capaz? Atingiu um determinado patamar que não consegue ultrapassar, não importa o que faça? Ganhar mais dinheiro num fluxo estável parece algo que você não é nem de longe capaz de fazer? Se for o caso, anote as cinco primeiras coisas que lhe vêm à cabeça quando você pensa em dinheiro. Sua lista é repleta de esperança e bravatas ou de medo e ódio? O que seus pais pensavam sobre o dinheiro? E o que pensavam as outras pessoas que participaram da sua educação? Como era a relação delas com o dinheiro? Você vê alguma conexão entre as crenças dessas pessoas em relação ao dinheiro e as suas?

Mais adiante neste livro, apresento algumas ferramentas para você vasculhar mais fundo em suas crenças subconscientes e corrigir o que o impede de viver o tipo de vida que gostaria, mas, por ora, procure se distanciar, observe o que está acontecendo nas áreas disfuncionais de sua vida e fortaleça o todo-poderoso músculo da consciência. Comece a prestar atenção às histórias que você elabora no seu subconsciente (para ganhar dinheiro preciso fazer coisas que eu detesto; relacionamentos amorosos fazem eu me sentir aprisionado; se eu entrar em uma dieta, nunca mais vou comer nada gostoso; se eu passar a gostar de sexo, vou queimar no inferno junto com todos os pecadores imundos etc.). Porque, só depois que começar a enxergar as coisas como são, é que você será capaz de se livrar das crenças limitadoras que ficam empesteando seu subconsciente como um bicho morto, abrindo espaço para as novas crenças e experiências que você tanto quer que façam parte da sua vida.

CAPÍTULO 2

AQUELA PALAVRA QUE COMEÇA COM D

Se você quiser desvendar os segredos do Universo,
precisa pensar em termos de energia, frequência e vibração.
— Nikola Tesla; inventor, físico, supergênio

Quando eu morava em Albuquerque, Novo México, costumava ir com minhas amigas a um bar estilo velho oeste chamado Midnight Rodeo. Era o tipo de lugar que tinha modelador de cachos e spray fixador no banheiro das mulheres, Bud Light eternamente em oferta a dois dólares a lata e uma pista de dança de carvalho maciço do tamanho de um milharal.

Éramos todas da Costa Leste e metidas demais para gostar de música country. Então, no começo, ficávamos só debochando de tudo, comemorando quando uma de nós avistava um cinto com uma fivela particularmente grande ou um caubói ostentando um daqueles bigodes curvados nas pontas, tão grandes que poderiam cobrir cinco bocas. Mas a melhor parte era a dança em linha. Ficávamos assistindo hipnotizadas à gigantesca massa de fãs de Garth Brooks em coreografia, batendo os pés e rodopiando, de forma sincronizada, com os polegares enfiados no bolso dos jeans. Aquilo era tão hilário que começamos a participar também, dando tchauzinho umas para as outras no meio daquele mar de chapéus de caubóis – *olha só isso*! Depois, bem, acabávamos ficando na pista para a música seguinte, só para tentar aprender aquela parte em que você bate o salto antes de dar uma rodadinha. E então lá estávamos nós, escapando todo fim de semana para dançar alegremente aquela coreografia e espantar a dor de cotovelo.

Foi dessa mesma forma que entrei em contato com Deus. Tudo começou com muito deboche e revirar de olhos, mas eu estava tão acabada, sem perspectiva, e cansada de ser tão incompetente na hora de correr atrás do que importa, que estava aberta a sugestões. Por isso, quando comecei a leitura de livros sobre como descobrir nossa vocação, ganhar dinheiro e se tornar centrado, todos com uma abordagem espiritual, não os joguei na minha pilha de "apenas boas intenções" com minha típica postura de que *essa besteira sobre Deus e espiritualidade é coisa de otário*. Em vez disso, decidi dar uma chance ao bom e velho Deus, porque não tinha nada a perder. Literalmente. E, vejam só, nem tudo era coisa de otário. Então, passei a ler mais sobre o assunto. Depois, comecei a estudar. Em seguida, passei a pôr em prática. Posteriormente, percebi que estava me sentindo bem melhor. Depois, comecei a acreditar. Em seguida, reparei nas impressionantes mudanças que passaram a acontecer na minha vida. Depois, fiquei obcecada com tudo aquilo. Depois, comecei a amar tudo aquilo. Em um momento posterior, comecei a mudar radicalmente a minha vida. Em seguida, comecei a passar adiante o que havia aprendido. E agora, basicamente, estou agarrada a este assunto como a um touro mecânico, dando socos no ar e gritando para o cara que mexe nos controles: "Mais rápido, Wayne!"

Não importa em que estágio você esteja nessa questão divina, saiba que essa coisa toda de transformação de vida será muito mais fácil se você mantiver a cabeça aberta. Chame-o da forma que quiser – Deus, Deusa, O Cara, Universo, Energia Primordial, Poder Superior, Grande Poobah, coragem, intuição, Espírito, Força, Espaço, Senhor, Vórtice, Matriz –, não importa. Particularmente, acho a palavra Deus um pouco desgastada, e prefiro Energia Primordial, Universo, Vórtice, Espírito e Matriz (que usarei de maneira alternada ao longo deste livro, esteja ciente). O que menos importa é o nome pelo qual você o chama, o importante é tomar consciência, se relacionar com esta Fonte de Energia que está ao mesmo tempo ao seu redor e dentro de você (a mesma energia nos dois casos), que será sua melhor amiga se você se permitir. Porque uma coisa é certa:

••
Todos nós estamos conectados a esse poder ilimitado, mas a maioria só usa uma fração dele.
••

Nossa energia está apenas fazendo um alegre passeio em nosso corpo. Ela aprende, cresce e evolui ao longo do caminho (é o que se espera, pelo menos, a não ser que você prefira ficar letárgico, encolhido e voltar a morar com seus pais), até que nossa jornada material chega ao fim e seguimos adiante. *Obrigada pela carona!* Descobrir que estamos conectados com a Fonte de Energia, que ela nos compõe, me fez ter vontade de compreender melhor a espiritualidade para tornar minha experiência física o mais extraordinária possível. É preciso dizer que, desde que mergulhei fundo nessa missão, tudo tem sido extraordinariamente incrível.

Quando estou conectada à Fonte de Energia e ao seu fluxo, me sinto muito mais poderosa, em sintonia com o mundo físico e o que o transcende, e bem mais feliz em geral. Quanto mais pratico meditação e presto atenção ao relacionamento com esse meu superpoder invisível, mais facilmente enxergo o que eu quero de verdade, e isso acontece de forma tão objetiva e veloz que fico toda arrepiada. É como se finalmente tivesse descoberto como fazer minha varinha mágica funcionar.

Se amar o Espírito é errado, prefiro não estar certa.

EIS AS BASES DE TODO O TRABALHO QUE ESTAMOS PRESTES A REALIZAR, JUNTOS, EM SUA VIDA:

- O Universo é feito de Energia Primordial.

- Toda energia vibra em determinada frequência. Isso significa que você vibra em determinada frequência, e que tudo que você deseja e não deseja também vibra em determinada frequência.

- Vibrações similares se atraem.

Também conhecida como Lei da Atração, ela pode ser resumida assim: concentre-se naquilo que faz você se sentir bem, que você irá encontrar (atrair) aquilo que faz você se sentir bem.

O tempo todo atraímos energia, estejamos cientes disso ou não. E quando estamos vibrando em baixa frequência (sendo pessimistas, carentes, vítimas, ciumentos, envergonhados, preocupados ou convencidos de que somos feios), por maior que seja nossa expectativa de viver experiências maravilhosas de alta frequência, o que ocorre é o exato oposto.

Você precisa elevar sua frequência para ajustá-la à vibração daquilo que deseja sintonizar.

Para ouvir uma determinada estação de rádio, é preciso encontrar a frequência certa. Se você está em um encontro, as coisas começam a esquentar e você quer colocar uma música sensual, mas sintoniza na rádio estatal, isso não vai ser nada sexy e vai acabar entrando numa discussão sobre política, em vez de ficar relaxado em clima de romance.

••
O Universo responde às vibrações que você manifesta. E não dá para enganá-lo.
••

Por isso, quando você vibra em alta frequência, coisas impressionantes parecem fluir na sua direção sem qualquer esforço, e você não para de tropeçar em pessoas e oportunidades perfeitas o tempo todo (e vice-versa). Como observou Albert Einstein: "A coincidência é a maneira pela qual Deus permanece anônimo."

Quando você aprende a dominar conscientemente o reino das energias, a acreditar naquilo que não se pode ver e se mantém na frequência mais alta, você aproveita o seu poder inato de criar a realidade que deseja.

Então, mais uma vez: consciência é a chave para a liberdade. Quando você percebe que pode melhorar drasticamente a sua situação, ligando-se à Energia Primordial e elevando sua frequência, você entra de sola (mais adiante, mostro exatamente como) em vez de optar por ficar escondido num buraco, se fazendo de vítima de circunstâncias patéticas como, por exemplo, fazer miojo instantâneo no micro-ondas para o jantar ou trabalhar para alguém que você detesta.

•••••••••••••••••••••••••••••••••••••••

Para elevar a frequência da sua vibração, é preciso acreditar que tudo que você deseja pode ser alcançado. E a melhor forma de fortalecer essa crença é manter-se conectado à Energia Primordial.

•••••••••••••••••••••••••••••••••••••••

É como se estivéssemos rodeados por um enorme self-service sem balança de incríveis experiências, insights, sentimentos, oportunidades, objetos, pessoas e formas de partilhar nossos dons com o mundo, e tudo que temos a fazer é alinhar nossa energia com aquilo que queremos, e decidir de uma vez por todas deixar isso entrar em nossas vidas. A parte da decisão é fundamental. Infelizmente, não podemos simplesmente flutuar sobre um colchão inflável na piscina do vizinho, tomando um drinque e vibrando em alta frequência enquanto esperamos que unicórnios caiam do céu. É preciso tomar uma atitude – mas atitude de verdade.

O truque é fazer ambas as partes – energia e ação – atuarem em sintonia: se sua energia não estiver adequadamente alinhada com o que você realmente deseja, qualquer atitude que tomar exigirá muito mais esforço para levá-lo ao que você quer; isso se você conseguir chegar lá. Vez por outra você pode ter a sorte de fazer uma sem a outra, mas, se você tiver clareza sobre o que realmente quer (e não sobre o que acha que deveria querer), tenha certeza de que tudo será possível, independentemente das circunstâncias e sem se desconectar da Energia Primordial, e, se mantiver a frequência elevada e tomar atitudes concretas, cedo ou tarde o sucesso vai chegar.

Você já sonhou que estava voando, experimentando um êxtase absoluto, mas de repente percebeu, *opa, peraí, estou voando – mas eu não posso voar!*, e então despencou em direção ao chão, sem conseguir voltar ao céu, não importa o quanto tentasse? É assim que funcionam as crenças. Mesmo que algo pareça impossível, é preciso ter fé de um jeito ou de outro, pois, no momento em que você para de acreditar, a bolha estoura e deixa de atrair magia para a sua vida.

A Força já está com você.

Isso não tem a ver apenas com acreditar e se manter otimista enquanto o sol brilha lá fora e os coelhinhos pulam no jardim. Significa acreditar que existe um lado positivo ao alcance, mesmo quando as coisas parecem absolutamente assustadoras e incertas.

Como disse o escritor francês André Gide, intrépido caçador da verdade: "Ninguém descobre novas terras sem se permitir perder a costa de vista por um longo tempo." É preciso acreditar que vivemos em um Universo amoroso, gentil e abundante, e não em um mesquinho e hostil, que gosta mais dos outros do que de você.

Sua fé precisa ser maior que seu medo.

CAPÍTULO 3

PRESENTE COMO UM POMBO

Se você está deprimido, está vivendo no passado. Se você está ansioso, está vivendo no futuro. Se você está em paz, você está vivendo no presente.

– Lao-Tsé; antigo filósofo chinês, fundador do taoismo, que pode ter existido de verdade ou ser apenas uma compilação mítica de diversos pensadores, ninguém sabe ao certo

Um dia, na aula de ioga, o instrutor nos pediu para fazer a Postura do Pombo, na qual você estica uma perna para trás, dobra a outra à frente apoiada de lado, e então inclina o corpo para frente, até encostar a testa no chão. Tudo bem se você for um pombo, mas é uma das posturas que mais me assustam, porque meu quadril não tem essa flexibilidade toda, dói e fico com medo de travar.

Embora meu corpo dissesse "não", eu estava lá no meio da aula. Então decidi ir em frente, determinada a me entregar e relaxar, mas na verdade implorando secretamente para que o professor nos pedisse logo outra postura, o que ele não fez porque estava muito ocupado falando. Ele não parava de tagarelar sobre nossa ligação com o Universo, sobre a respiração, o caminho para a verdadeira iluminação e *puta que pariu cara anda logo parece que vou rasgar alguma coisa fazendo isso vou sim ai meu Deus acho que travei de verdade como é que vou sair dessa posição ele vai ter que vir aqui me ajudar a levantar porque estou realmente travada* e então, *puf!*

Respirei fundo. Desliguei aquele vozerio implacável dentro da minha cabeça, fiz silêncio e me entreguei. Senti meu corpo se mover e se ajustar à postura como nunca havia feito antes. A dor sumiu. O pânico sumiu. Entrei em comunhão com o Universo. Mas logo percebi que achava mesmo que estava presa e *sério que merda cara você vai ficar falando a noite toda a gente está nessa maldita postura há cinco minutos e só pra avisar meu joelho está queimando e você não vai calar a boca apesar de eu não parar de acreditar que vai mas aí você continua* e então, *puf!*

Reconexão. Estou de volta à Matriz. Meu corpo está profundamente entregue à postura e experimento um êxtase tamanho, uma verdadeira conexão com algo maior.

Esse vaivém entre pânico e "respirar no momento presente" é basicamente como a maioria de nós leva a vida. Em vez de me preocupar com a possibilidade de deslocar o quadril (futuro) ou com minha falta de habilidade para fazer aquela posição (passado), eu poderia ter desfrutado a magnificência que se abria para mim naquele momento.

Nunca deixo de me surpreender com o precioso tempo que nossos cérebros perdem brincando de gato e rato, remoendo dramas, se preocupando com pelos faciais indesejados, querendo ser adorados, justificando nossas ações, reclamando que a internet está lenta, dissecando a vida dos idiotas, justo quando estamos vivenciando um milagre, aqui e agora.

Habitamos um planeta que de alguma forma sabe como girar sobre o próprio eixo e seguir um caminho definido enquanto se lança pelo espaço! Nossos corações batem! Nossos olhos enxergam! Temos amor, risos, linguagem, salas de estar, computadores, compaixão, carros, fogo, unhas, flores, música, medicina, montanhas, *muffins*! Vivemos em um Universo infinito que transborda milagres! Não estarmos vagando por aí num pranto interminável diante de tantas maravilhas é um fato impressionante. O Universo deve estar pensando, *o que mais eu preciso fazer para que esses ingratos se toquem? Fazer água, o mais precioso recurso dos humanos, cair do céu?*

O Universo nos ama tanto e deseja com tal força que façamos parte desses milagres que às vezes nos oferece pequenos lembretes. Como nos filmes, quando alguém escapa da morte e, de tão feliz e agradecido, sai pela rua pulando, rindo e abraçando loucamente qualquer um. De repente, todos os "problemas" se dissipam e o milagre de estar vivo, aqui e agora, recebe o enfoque merecido. Conheço alguém que foi sugado por uma barragem e quase morreu, e hoje encara o acidente como uma das experiências mais transformadoras de sua vida. Não que eu deseje o mesmo para ninguém, mas saiba que se for necessário algum tipo de catástrofe para transformar sua vida pode ser que o Universo conspire para isso.

O Universo também nos cercou dos mais perfeitos mestres. Os animais, por exemplo. Eles vivem sempre no presente, e possuem o poder secreto de nos envolver nessa atitude. O cachorro de uma amiga minha fica tão feliz toda vez que ela chega em casa que até parece que ela veio para libertá-lo depois de quarenta anos de prisão. Mesmo que ela tenha saído por uma hora só. Você está aqui. Eu estou aqui. Eu te amo. Vou fazer xixi pela casa inteira para demonstrar isso.

Crianças pequenas também são excelentes guias. Elas mergulham tanto na alegria de desenhar, de fingir e de descobrir as coisas que só comem ou tomam banho ou dormem quando alguém manda. Elas estão constantemente criando, num fluxo sem restrições, de felicidade plena, porque ainda não aprenderam a se preocupar com o que as pessoas pensam delas ou que elas talvez não sejam tão talentosas na pintura a dedo quanto alguma outra amiguinha. Elas vivem o momento. O momento é divertido. Ponto.

•••
Faríamos bom proveito em tomar como exemplo com mais frequência os animais e os bebês.
•••

Tudo aquilo com que nos preocupamos em criar e em nos tornar já existe, aqui e agora. O dinheiro que você deseja já existe; a pessoa que você quer conhecer já nasceu; a experiência que você quer ter já está a sua disposição; a ideia para aquela música brilhante que você quer compor já está aqui, basta você fazer "download" das informações. Conhecimento, intuição, alegria, conexão, amor, tudo isso está na sua cara, tentando chamar a sua atenção. A vida que você deseja está bem aqui, agora.

De que diabos eu estou falando? Se tudo está aqui, onde é que está, então?

É como a eletricidade. Antes da invenção da lâmpada elétrica, quase ninguém tinha conhecimento da existência da eletricidade. Mas ela estava aqui, exatamente da mesma forma que está agora, só não tínhamos nos dado conta. Foi necessária a invenção da lâmpada para despertar nossa atenção. Tivemos que entender como materializá-la.

•••••••••••••••••••••••••••••••••••••

Não é que as coisas e as oportunidades que queremos na vida não existam.

Nós é que não estamos cientes da existência delas (ou de que podemos conquistá-las).

•••••••••••••••••••••••••••••••••••••

Quanto mais exercita estar presente e ligado à Energia Primordial, torna-se capaz de "baixar" ideias e aproveitar oportunidades que você corre o risco de perder quando se enrosca em discussões intermináveis consigo mesmo.

Existe uma ótima parábola hindu sobre uma senhora que queria conhecer o deus Krishna. Ela se dirigiu à floresta, fechou os olhos, orou e meditou para fazer o deus aparecer, e, *voilà!*, Krishna surgiu caminhando pela floresta em direção a ela. Porém, quando Krishna tocou seu ombro, ela, sem abrir os olhos, mandou que ele fosse embora, porque ela estava ocupada meditando por um objetivo muito importante.

Quando nos embaraçamos além da conta com nossos pensamentos, perdemos aquilo que está disponível no momento presente. Pare e observe como você está se sentindo. Sinta a respiração entrando e saindo do seu corpo. Sinta o ar na sua pele. Sinta o seu coração batendo. Preste atenção ao que seus olhos veem. Preste atenção ao que seus ouvidos escutam. Perceba a energia zumbindo dentro e fora de você. Silencie seus pensamentos e sinta a sua conexão com a Matriz. R-e-s-p-i-r-e. Mesmo que a dívida do cartão de crédito seja de arrepiar, mesmo que você não fale com sua mãe há seis anos, agora, agorinha mesmo, você pode encontrar a paz e a alegria simplesmente naquilo que é.

Enquanto adultos com responsabilidades – corpos para cuidar e contas para pagar –, é importante fazer uma viagem para além do presente de vez em quando; às vezes precisamos fazer planos para o futuro, bem como precisamos refletir sobre o passado para aprender com ele, rir dele ou enterrá-lo de uma vez por todas. Se apenas passarmos para fazer uma visitinha ao futuro e ao passado, tudo bem, mas o tempo que perdemos ruminando pensamentos idiotas sobre "e se...?" e "por que...?", valha-me Deus!

Quanto mais tempo você passa no momento presente, mais plena sua vida se torna. Sua presença no aqui e agora o desliga de sua cabeça e o conecta à Energia Primordial; isso aumenta sua frequência e atrai as coisas compatíveis com ela. Todas essas coisas e experiências de alta frequência já estão aqui, esperando você chegar na festa. Tudo que você tem a fazer é silenciar, dar as caras e abraçá-las.

CAPÍTULO 4

O GRANDE DORMINHOCO

Querer ser outra pessoa é desperdiçar a pessoa que você é.
— Kurt Cobain; esse dispensa apresentações, né?

Quando entrei no universo da autoajuda, havia tanta discussão sobre "ego" que minha minha cabeça deu um nó. Eu achava que ego tinha a ver com ser vaidoso e cheio de si, do tipo "vou ficar aqui falando de mim e de como sou o máximo, e depois vou mostrar meus músculos". Mas, embora arrogância e vaidade (que, a propósito, são diferentes de amor-próprio e confiança) façam parte do ego, não são apenas isso, como fui descobrir depois.

Na comunidade espiritual e de autoajuda, "ego" se refere ao eu-sombra, eu-falso, ou ao eu que se comporta como um imbecil. É a parte que está no comando quando fazemos coisas para sabotar nossa própria felicidade, traindo nossos maridos ou nossas esposas porque no fundo não nos sentimos dignos de ser amados, quando nos recusamos a seguir o coração e desistimos de correr atrás da carreira dos nossos sonhos, porque morremos de medo que os outros vejam quem realmente somos, ou quando ficamos repetindo a toda hora sobre o quanto somos incríveis ou ficamos exibindo nossos músculos, pois somos tão inseguros que precisamos de uma validação externa.

Em outras palavras, existem muitas formas de ter uma *ego trip*.

Nas páginas a seguir, vou passar a me referir ao ego como O Grande Dorminhoco. Ou GD, para encurtar. Talvez assim fique menos confuso. Além do mais, talvez seja um nome mais apropriado, pois a principal causa do nosso fracasso (ficar sem dinheiro, namorar idiotas, cair aos prantos em público porque odiamos nossa vida) se deve ao fato de que ainda não despertamos para quão poderosos nós somos nem para quão abundante é o Universo.

Ficou claro? Então, lá vamos nós.

O Grande Dorminhoco age de acordo com suas crenças falsas e limitantes. Essas crenças são o lixo armazenado no seu subconsciente quando você ainda era criança, mas que não têm nada a ver com você, assim como a autoimagem depreciativa e desestimulante que você criou. Ele recebe validação de fontes externas (faço isso para ser amado, a opinião dos outros sobre mim é mais importante do que a minha), ele é reativo (as circunstâncias controlam minha vida, sou uma vítima), se baseia no medo e se empenha em mantê-lo prudentemente confinado na realidade que você criou a partir dessas crenças falsas e limitantes (também conhecidas como zona de conforto). O Grande Dorminhoco vive no passado e no futuro, e acredita que você está à parte de tudo ao seu redor.

Por outro lado, seu verdadeiro eu, seu eu superior, seu eu super-herói (seu eu não GD), é a parte que age de acordo com sua conexão com a Energia Primordial. Ele recebe validação de dentro (gosto de mim, confio em mim, isso me parece correto, tenho um propósito, sou amada), é proativo (estou no controle da minha vida, vou sair por aí e arrasar), se baseia no amor e se empenha em criar uma realidade a partir de seu potencial ilimitado – desde que o Grande Dorminhoco acorde. Seu verdadeiro eu vive no presente (e não está acorrentado aos seus pensamentos), acredita piamente em milagres e está sintonizado com o Universo.

Todos nós experimentamos diferentes graus das duas perspectivas, e, apesar de ser improvável que haja alguém totalmente livre do Dorminhoco, a maioria das pessoas está tão abraçada a ele que se contenta com realidades muuuuuuito aquém das que poderiam estar vivendo.

No entanto, pouquíssimas pessoas nem sequer estão conscientes do que podem alcançar, pois vivemos em uma sociedade baseada no medo, que recrimina aqueles que acordam do sono do Grande Dorminhoco, escapam de suas zonas de conforto e seguem o coração rumo ao grande desconhecido. Em geral, aqueles que dão grandes saltos de fé são rotulados de irresponsáveis, egoístas ou malucos (até alcançarem o sucesso, claro, aí se tornam brilhantes). Isso acontece pelo seguinte:

••

Ver alguém mergulhar de cabeça no que deseja pode ser bastante perturbador para quem passou a vida inteira reunindo sólidos argumentos para se convencer de que não pode fazer o mesmo.

••

Estou generalizando, é claro, porque existem muitas pessoas que torcem pelos outros, mas uma das primeiras coisas que você terá que encarar quando decidir acordar o Grande Dorminhoco e realizar mudanças positivas em sua vida é a desaprovação das outras pessoas que ainda estão roncando. Sobretudo das mais próximas, por mais ridículo que pareça.

Elas poderão expressar este incômodo de várias maneiras: raiva, mágoa, perplexidade, crítica, bufando a cada vez que você falar sobre os novos amigos ou novos negócios, fazendo observações constantes sobre como você não é mais como era, franzindo a testa, provocando, bloqueando você em todas as redes sociais etc.

Shirley, você vai mesmo sair desse seu emprego seguro numa empresa para abrir um salão de beleza, tendo dois filhos, prestação do apartamento pra pagar, hipertensão? Novos negócios têm pouca chance de sucesso, ainda mais com essa economia. Você não se preocupa com o que pode acontecer com sua família, se der errado?

É claro que Shirley está preocupada com o que pode acontecer com a família dela se tudo der errado! Toda noite ela acorda tomada de pânico pensando nisso, mas ela está deixando o medo de lado para fazer alguma coisa que ela deseja muito, e que é mil vezes melhor do que passar a vida inteira nessa conversinha chata em volta da máquina de café, reclamando que o bolo da festa de aniversário que o chefe organizou para você na semana passada estava seco.

Mesmo que essas pessoas geralmente façam isso por amor e consideração, a última coisa que você precisa quando está fortalecendo os músculos de super-herói para dar um passo além e correr riscos é aguentar o medo e a preocupação dos outros. Por isso recomendo fortemente ficar de boca fechada perto de qualquer um que possa baixar seu astral. Em vez disso, procure quem já botou pra quebrar (ou que está se preparando para isso), ou quem você tem certeza de que vai oferecer apoio, e conte apenas a essas pessoas. Porque você já vai ter que lidar com seu show de horrores particular quando tentar superar os obstáculos do seu próprio GD.

O GRANDE DORMINHOCO

O Grande Dorminhoco é como uma mãe italiana superprotetora que não quer que você saia de casa nunca para morar sozinho. Ela tem boas intenções, mas que são totalmente baseadas no medo. Enquanto você estiver na zona segura e familiar do estado atual das coisas, o Grande Dorminhoco estará contente, mas, no momento em que você se esgueirar para sair de casa e aproveitar a festa que está rolando, sua mãe superprotetora e controladora vai mostrar as garras, arranhar, gritar, morder e se contrapor a esta nova vida que de repente surgiu para você – basicamente, ela fará de tudo para impedi-lo. E não vai ser bonito.

É como quando você para de fumar ou de usar drogas e entra em processo de desintoxicação. Finalmente, você deu um salto e fez algo que vai melhorar muito a sua vida, e durante dias ou até mesmo semanas você se sente pior do que quando era uma criança mimada. Você está cortando tudo o que lhe faz mal, livrando seu corpo das toxinas, tremendo, suando, vomitando, e se pergunta em que momento aquilo pareceu uma boa ideia. É divertido.

O mesmo acontece quando nos libertamos das crenças limitadoras do subconsciente que estavam nos travando e damos um grande salto para fora da zona de conforto. É um *detox* de proporções tão colossais que às vezes parece que o Universo está conspirando contra nós – árvores despencam em cima do nosso carro, nossos computadores param de funcionar, flagramos nosso "outro significativo" na cama com a nossa melhor amiga, nossos documentos são roubados, pegamos uma gripe terrível, o telhado da casa despenca, sentamos num pedaço de chiclete –, mas, na verdade, é o Grande Dorminhoco que está criando este caos na tentativa de nos sabotar e deixar tudo como está, nos impedindo de avançar rumo ao desconhecido, não importa o quanto a gente queira. Todas as pessoas que conhecem essa situação é porque já passaram por isso.

•••••••••••••••••••••••••••••••••••••

Quando damos grandes saltos em direção ao novo, a vida normalmente vira uma tempestade antes de chegar a bonança.

•••••••••••••••••••••••••••••••••••••

Sei que isso pode parecer exagero da minha parte, mas lembre-se de que é você quem cria sua realidade. E você passou uma vida inteira criando esta realidade baseando-se principalmente em crenças limitadoras. Ao decidir desinstalar essas crenças, seguindo o que realmente está no seu coração e fazendo uma ampla revisão de si mesmo e de seu mundo, você começa a sufocar o Grande Dorminhoco. E ele virá atrás de você, com um cabo de vassoura na mão, para ameaçá-lo até você retornar à sua vida anterior. Somos seres muito poderosos que criam a própria realidade por meio de uma energia concentrada, e caso nosso subconsciente decida concentrar essa energia em nos impedir de assumir os riscos, porque isso é enlouquecedor e aterrorizante, tudo pode ficar de cabeça para baixo.

O Grande Dorminhoco fará de tudo para impedi-lo de mudar e crescer, especialmente quando você tenta deixar para trás a identidade que você e os outros se acostumaram a chamar de "você".

Nunca subestime o poder de um Grande Dorminhoco desprezado.

Às vezes o Grande Dorminhoco inventa bloqueios emocionais na tentativa de nos imobilizar, em outras apela para o plano concreto. Tenho um cliente que decidiu largar um emprego monótono, porém bem-remunerado, para montar do zero a empresa dos sonhos. Ele não tinha ideia de por onde começar, do que precisava fazer ou de como fazer, e apesar de ter uma família que dependia dele, não ter nenhuma garantia e absolutamente nenhuma pista, largou um emprego seguro e mergulhou de cabeça, porque estava determinado a construir uma vida que ele amasse de verdade. Foi nesse momento que o GD começou a jogar merda no ventilador – ele teve não apenas um, mas sim dois pneus furados na saída de nossa sessão de *coaching*, a babá bateu o carro dele no carro da sua esposa, o principal cano da cozinha estourou e, às vésperas de fechar o primeiro grande negócio, ele foi atingido por um ônibus desgovernado (tenho o prazer de informar que ele está bem!). No entanto, apesar de todas essas desculpas extremamente convincentes para dizer *Tudo bem, dane-se, você venceu*, ele não desistiu. E hoje ele é seu próprio patrão, fazendo o que ama, viajando pelo mundo, negociando contratos de milhões de dólares, fazendo uma diferença enorme na vida dos clientes, sendo criativo e dando um ótimo exemplo para os filhos sobre como ter um propósito de verdade na vida.

Um dia, uma produtora musical com quem eu trabalhei decidiu abrir o seu próprio estúdio de gravação. Ela investiu todo o dinheiro e esforço que tinha na compra de equipamentos, instrumentos, amplificadores, isolamento de som etc., e, assim que ficou pronto, um incêndio destruiu tudo. Em vez de fechar as cortinas, deitar na cama e ficar chupando o dedo, ela levantou o dinheiro necessário para reconstruir um estúdio ainda melhor, e hoje está mandando tão bem que pode escolher os músicos com quem trabalha, vivendo a vida que sempre imaginou.

Portanto, se você também decidir sair de um trabalho que consome sua alma para abrir, quem sabe, a confeitaria dos seus sonhos, não se aborreça se um caminhão entrar pela vitrine repleta de cupcakes. Em vez de encarar o incidente como um sinal de que você não deveria ter aberto a loja, veja como uma advertência de que você está se livrando do GD e caminhando na direção certa.

Crescimento pessoal não é uma tarefa indolor, mas mesmo assim é muito menos sofrido do que continuar a viver a mesma vidinha que você tem hoje sem abraçar *de verdade* o que acredita. Se você quer assumir as rédeas e transformar sua vida em algo tão espetacularmente *seu* quanto os exemplos acima, não deixe que nada o impeça. Tenha fé. Acredite que uma nova vida está bem aqui e é bem melhor que a anterior. Aguente firme se o Grande Dorminhoco reagir. Aconteça o que acontecer, se mantenha nos trilhos, pois não há nada mais incrível do que assistir à realidade se transformar na mais perfeita expressão do que você é.

CAPÍTULO 5

A AUTOPERCEPÇÃO É UM ZOOLÓGICO

Não estou bem, então está tudo bem.
— Título da autobiografia que a minha amiga Cynthia irá escrever, um dia

Uma de minhas amigas é palestrante profissional. Ela é aquele tipo de pessoa tão articulada, poderosa, brilhante e naturalmente cativante que seria capaz de me levar às lágrimas mesmo se estivesse pedindo um sanduíche. "Claro! Sem tomate! Vocês ouviram o que ela disse!" Imagine então minha surpresa quando ela veio correndo falar comigo depois de uma palestra para perguntar se tinha sido muito entediante. Tenho amigos lindos que se acham horrorosos, clientes brilhantes que ora acreditam que são um presente de Deus para a humanidade, ora precisam ser convencidos de que não são incompetentes, e também uma vizinha empreendedora que não consegue decidir se é uma potência financeira ou se está prestes a levar a família para morar debaixo da ponte.

A autopercepção é como um jardim zoológico. Passamos a vida à deriva, entre vislumbres de nossa infinita glória e o medo de que não apenas somos totalmente incapazes/indignos/preguiçosos/horríveis, mas que também é apenas uma questão de tempo para que alguém nos desmascare. Nos torturamos incessantemente, e com que fim? Se podemos vislumbrar a glória (e eu sei que você pode), por que desperdiçamos nossos preciosos tempo e energia com as outras opções? A vida não seria muito mais divertida, produtiva e sexy se abraçássemos sem medo nosso maravilhoso e aprazível eu?

•••••••••••••••••••••••••••••••••••••••
Dá o mesmo trabalho acreditar que somos incríveis ou completos idiotas.
•••••••••••••••••••••••••••••••••••••••

A quantidade de energia gasta é a mesma. A de concentração também. Por que então escolhemos o drama?

Já reparou que, quando alguém que a gente admira faz algo fenomenal, ficamos felizes pela pessoa, mas não nos surpreendemos – *Claro que ela fez algo fenomenal, ela é fenomenal!* Mas quando se trata de perceber quão incríveis nós somos é como empurrar um *marshmallow* gigante montanha acima. *Sim, lá vamos nós, estamos subindo, muito bem! Ooopa! Está escorregando – está escorregando à esquerda! Empurra. Aqui vamos nós. Estamos indo bem! Pera, agora está escorregando pra direita...* Ficamos como baratas tontas, dando um passo para frente e catorze passos para trás, sem nenhuma necessidade.

Em vez disso, procure se ver pelos olhos de alguém que admira *você*. Eles conseguem ver. Eles acreditam nos seus pulos e saltos. Eles ignoram as inseguranças e crenças negativas que você tem a respeito de si mesmo. Tudo o que eles veem é sua glória e seu potencial. Seja você também seu admirador fanático, olhe para si mesmo de outra perspectiva, de onde a dúvida não possa te atropelar, e perceba seu próprio brilho.

Você pode escolher como enxergar sua realidade. Por que então, ao olhar para si mesmo, você escolheria se ver como qualquer outra coisa senão um astro?

Você é fera. Você era assim quando veio a este planeta, aos berros, e continua sendo. Se você não fosse, o Universo não teria perdido tempo com você. Não existe derrota capaz de fazer você deixar de ser fera. *Isso é você.* É o que você sempre será. Não pode ser negociado.

Você tem amor. Imenso. Feroz. Incondicional. O Universo chega a pirar de tão extraordinário que você é. Ele o envolve em um abraço de gorila cheio de amor. Ele quer lhe dar tudo o que você deseja. *Ele quer que você seja feliz.* Ele quer que você se dê conta de tudo o que ele enxerga em você.

A perfeição está em você. Duvidar disso é tão inútil quanto um rio achar que tem muitas curvas, ou se movendo muito lentamente, ou que suas corredeiras são muito rápidas. Quem disse? Sua viagem não tem começo, nem meio, nem fim definidos. Nenhum acontecimento é errado. As coisas apenas são. Seu trabalho é ser o mais autêntico possível. Você está aqui para isso. Ter vergonha de ser você mesmo deixaria o mundo órfão. Não existe ninguém igual a você e nunca haverá. Repito, *não existe ninguém igual a você e nunca haverá.* Não negue ao mundo a única chance de aproveitar tudo de que você é capaz.

Somos todos perfeitos à nossa maneira, ao mesmo tempo fodida e magnífica. Ria de si mesmo. Ame a si mesmo e aos outros. Rejubile-se no ridículo cósmico.

PARTE 2

∞

Como abraçar sua fera interior

CAPÍTULO 6

AME QUEM VOCÊ REALMENTE É

Quando nos amamos de verdade, tudo em nossa vida dá certo.
– Louise Hay; autora, editora, madrinha da autoajuda,
que já estava nessa muito antes de virar moda

Eu estava na casa do meu irmão Bobby um dia, deitada no sofá, enquanto seu filho de dois anos zanzava de um lado pro outro. Em dado momento alguém derrubou alguma coisa da mesinha de centro, e meu pequeno sobrinho se abaixou para pegar. Bobby olhou para mim e falou:
–Viu isso? O moleque faz tudo direitinho. Curva os joelhos, mantém as costas eretas, os quadris encaixados e a barriga firme... impecável!
Empolgado por ter uma "prova viva" tão hábil e voluntariosa, Bobby continuou jogando outras coisas no chão durante algum tempo – uma colher, um controle remoto de TV, uma latinha de cerveja vazia –, e meu sobrinho, de maneira perfeita, ia pegando

tudo, enquanto Bobby não parava de falar sobre a postura do filho, o uso dos músculos, a sobriedade dos trejeitos, e como o menino recolhia tudo com muita dignidade, mesmo com a fralda toda desajeitada.

– Incrível. Esse menino poderia virar um carro sem distender as costas. Eu mal consigo vestir as calças sem correr o risco de ir parar no hospital.

Nascemos com uma compreensão instintiva de alguns princípios importantes da vida, que incluem, entre outras coisas, dobrar os joelhos em vez das costas para pegar uma lata de cerveja do chão. Quando nascemos, sabemos confiar em nossos instintos, como respirar fundo, que só devemos comer quando estamos com fome, que não devemos ligar para o que os outros pensam de nossos penteados, de nossas vozes, do jeito como dançamos, ou sabemos como brincar, criar e amar sem reservas. Depois, à medida que crescemos e aprendemos com as pessoas que nos cercam, substituímos nossa compreensão primordial por falsas crenças negativas, medo, vergonha e hesitação. O resultado é dor física e emocional. E aí tentamos aplacar essa dor com drogas, sexo, álcool, TV, comida etc. Ou, então, nos contentamos com a mediocridade. OU despertamos, nos lembramos de nossa verdadeira capacidade, e decidimos reaprender o que sabíamos lá no início.

É como se tivéssemos nascido com uma enorme sacola cheia de dinheiro, mais do que suficiente para financiar todos os nossos sonhos, mas em vez de seguirmos nossos instintos e nosso coração investimos no que os outros acham que deveríamos. Alguns investem na ideia de que estão velhos demais para sair à noite, embora adorem dançar, e outros investem na aparência durona e insensível, embora só desejem amor e conexão, outros investem em se envergonhar da sexualidade, deixando de se assumir gloriosamente como gays. Cada vez que compramos uma ideia na qual não acreditamos realmente, reduzimos nossas fortunas internas, e só quando nos reconectamos com quem somos *de verdade* e investimos naquilo que é importante para nós é que começamos a viver uma vida rica, plena e autêntica.

Embora existam inúmeras maneiras de falir neste aspecto, uma em particular é sem dúvida a mais garantida e a mais devastadora de todas: **investir tudo o que temos na crença de que não somos bons o bastante.**

Chegamos ao mundo como perfeitos pacotinhos de alegria, mas aí nos dedicamos à tarefa de aprender a desamar a nós mesmos. Existe algo mais ridículo que isso?! O amor-próprio, um sentimento simples, e no entanto o mais poderoso *que já existiu* sai voando pela janela quando começamos a assimilar todas as informações do mundo exterior.

Não estou falando de vaidade ou narcisismo, porque essas coisas também são fruto do medo e da falta de amor-próprio. Estou falando de uma profunda conexão com nosso eu mais elevado e da capacidade inabalável de perdoar nossos defeitos. Estou falando de nos amarmos tanto a ponto de dissipar a culpa, o ressentimento e a crítica e abraçarmos a compaixão, a alegria e a gratidão.

•••

Quando estamos felizes e amamos quem somos, nenhuma bobagem (nossa nem de outros) é capaz de nos incomodar.

•••

Imagine como seria o mundo se cada um de nós amasse tanto a si próprio de modo a não se sentir ameaçado pelas opiniões de outras pessoas, cor da pele, preferências sexuais, talento, educação, posses (ou a falta delas), religião, independência ou hábitos dos outros. Imagine quão diferente seria sua realidade (e a de todos que o cercam) se toda manhã você acordasse convicto do seu amor por si mesmo e da importância do papel que você desempenha neste planeta. Imagine espantar a vergonha, a culpa, a insegurança e a baixa autoestima *e se permitir ser, fazer e ter tudo que seu coraçãozinho deseja.*

ESSE é o tipo de mundo onde eu quero viver.

Na intenção de perpetuar esse amor-próprio tão radical que é capaz de transformar a realidade, eis algumas das melhores maneiras de reconquistá-lo:

1. PERCEBA QUE VOCÊ É ESPECIAL

Nunca haverá ninguém exatamente como você. Você possui dons e talentos especiais para compartilhar com o mundo e, apesar de todos possuírem dons e talentos especiais, ninguém os utiliza da mesma forma. Suas atitudes e sua perspectiva de vida são exclusivas. Somente você pensa do jeito que pensa. Você criou sua própria realidade e vive a vida de acordo com seu próprio caminho. Jamais haverá outra pessoa igual a você. Sua presença neste mundo é muito importante.

2. REAFIRME-SE À EXAUSTÃO

Confie em mim, jamais diria isso a você se não fosse necessário: autoafirmativas funcionam. Você não precisa repeti-las em frente ao espelho, não precisa se abraçar nem ter um diário com um arco-íris na capa, mas se quiser dar uma guinada em sua vida precisa reprogramar e treinar o seu cérebro para pensar de modo diferente. É isso que a autoafirmação faz.

Depois de descobrir as afirmativas que você mais precisa ouvir, repita-as mentalmente ao longo do dia, dentro do carro, fingindo que está ao telefone enquanto caminha pela rua, repetindo-as baixinho na fila do Detran. Anote-as em *post-its* e espalhe pela casa, no espelho, na geladeira, no carro. De manhã e de noite escreva dez vezes as melhores afirmativas e repita-as mais dez vezes em voz alta antes de dormir.

Eis algumas afirmativas específicas para o amor-próprio. Escolha uma ou duas que se adaptem a você e use e abuse delas:

- Mereço e recebo muito amor em todas as horas do dia.

- Estou em sintonia com o Universo. Ele é maravilhoso, e eu também.

- Meu coração está aberto. O amor circula livremente nele.

- Recebo todo o bem que a vida me oferece.

- Eu sou brilhante, inteligente e incrível.

- Eu me amo por completo, amo minha altura, amo minha bunda.

Tanto faz. Caso nenhuma dessas funcione, escolha alguma que não o deixe engasgado, uma que mexa a fundo com você. *Quanto mais emocionado você se sentir, mais poder a afirmação terá para mudanças positivas.* Claro que no início talvez você se sinta como se estivesse mentindo, mas o fato é que você já está vivendo a mentira, e o que as afirmativas fazem são resgatar a verdade.

Você não pode apenas repetir um monte de disparates – você precisa querer, precisa acreditar e ser tocado de verdade para que a afirmativa funcione.

3. FAÇA O QUE VOCÊ AMA

Quando você evita constantemente pessoas, comidas, coisas e experiências que o fazem se sentir mais vivo, isso envia uma mensagem nada boa para o seu eu.

Observe sua vida, veja em que aspectos você está se colocando para baixo. Se você se pega dizendo coisas como "Adoro ir a um show, mas não lembro quando fiz isso pela última vez", *arrume tempo para fazer*.

Estamos todos ocupados, mas só pessoas que elegem como prioridade aproveitar a vida é que aproveitam bem a vida. Neste exato momento, milhares de pessoas pelo mundo estão em retiros de ioga com vista para o mar, se acabando de dançar em festivais de música ao ar livre ou se divertindo no Cruzeiro Disney com que sonhavam. Preste bastante atenção ao que você fala e faz, e faça um esforço consciente para se tornar mais alegre. Não importa, pode ser apenas passar uma tarde com um grande amigo, largar esse emprego que você detesta, comprar aqueles sapatos incríveis e caros ou até mesmo viajar para surfar na Costa Rica. Isso significa ser proativo em cultivar a vida que você ama em vez de ir empurrando com a barriga por achar que não existe alternativa. Se dê de presente um momento de alegria enquanto você ainda está aqui.

Além disso, se você é aquele tipo de pessoa que põe as necessidades dos outros em primeiro lugar, passe a pôr as suas na frente. Aqueles que estão mal-acostumados com o papel que você desempenha não deixarão de amá-lo, mesmo que fiquem aborrecidos por não mais terem você à disposição como antes. Compre um jeans novo, abra uma caderneta de poupança, contrate alguém para limpar a casa, faça seus filhos limparem a caixa de areia do gato – você não é egoísta por cuidar de si mesmo, é só uma pessoa mais feliz. Cuide de si mesmo como se fosse a pessoa mais incrível que você já conheceu.

4. ENCONTRE UM SUBSTITUTO

Já estamos tão acostumados com as reações negativas que temos contra nós mesmos que não pensamos mais em questioná-las – simplesmente as assumimos como a verdade, somente a verdade, nada mais que a verdade. Contudo, quando compreendemos nossos padrões de comportamento e de pensamento, podemos mudá-los de modo consciente. Comece então a prestar atenção:

O que você pensa quando você se olha no espelho?

Quando alguém faz um tremendo sucesso com algo que você adoraria fazer, mas nunca se permitiu tentar?

Quando você passa por um grupo de pessoas bonitas e bem-sucedidas?

Ou quando você dá o melhor de si em alguma coisa e falha?

Ou quando você leva um fora de uma pessoa totalmente incrível? E sensual?

Ou quando você passa o dia inteiro com o zíper da calça aberto?

Ou quando você esquece o copo de café em cima do capô do carro e sai dirigindo?

Ou quando você magoa um amigo?

Ou quando você bate com o dedão na mesa da cozinha pela décima vez?

Ou quando você esquece o aniversário do seu pai?

Ou quando você é grosso com alguém que não merecia?

Observe as palavras que passam pela sua cabeça quando você está sendo severo demais consigo mesmo e procure novas respostas, melhores, a estas perguntas.

Por exemplo, se a cada vez que você se olha no espelho e seu primeiro pensamento é *eca!*, faça um esforço consciente e mude para *uau!*

Se você tem uma relação complicada com seu pai e se pune toda vez que diz algo terrível para ele, substitua o *eu sou um monstro* por *eu sou apenas um coelhinho, analisando minhas questões*. E depois, claro, peça desculpas a ele.

Se sua resposta padrão quando falha em alguma coisa é *argh, Vossa Excelência o Desastrado ataca novamente*, substitua por *o que posso aprender com isso?*

O mais importante é se libertar do drama e da convicção de que sua versão atual de si mesmo é a pura verdade. E não me importo se você retrucar "falar é fácil; não é você que tem um nariz que parece um iate estacionado na sua cara". Pois um dia você poderá topar com alguma *top model* famosa e chique com um nariz muito maior que o seu e que se acha linda mesmo assim, e de repente você vai se sentir bonita, confiante e orgulhosa do seu nariz, apesar de até ontem pensar seriamente em fazer uma plástica.

Enfim, isso mostra o quanto somos ridículos.

Não desperdice a vida se apegando às opiniões depreciativas que você tem de si. Em vez disso, faça a escolha conscientemente por opiniões novas e melhoradas.

5. ESQUEÇA O HUMOR AUTODEPRECIATIVO

Fazer piada de si mesmo o tempo todo não é legal. Sei que pode ser absurdamente engraçado, e algumas vezes eu mesma faço isso. Mas estou falando daqueles festivais incessantes de autodepreciação. Autocomiseração cansa. Cansa rápido. Sobretudo quando é encenação. Então, se você é do tipo que tira sarro de si mesmo, o tempo todo, não está simplesmente implorando para que os outros pensem que é um perdedor, você também está implorando para pensar que é um perdedor. É como se autoflagelar com um pé de cabra. Por que diabos você está fazendo isso com seu extraordinário eu?

O que você diz diariamente sobre si mesmo é mais poderoso do que se pode imaginar. Piadas aparentemente inofensivas transformam-se ao longo do tempo em crenças sérias e destrutivas. Nossos pensamentos se tornam palavras, nossas palavras se tornam crenças, nossas crenças se tornam ações, nossas ações se tornam hábitos e nossos hábitos moldam nossa realidade. Portanto, se sua piada favorita é que você não conseguiria arrumar alguém para sair com você nem se apontasse uma arma, e se você passa todas as noites de sábado sozinho, talvez seja melhor mudar de piada.

E o mais importante: tirar sarro de si mesmo o tempo todo é uma forma barata de ser engraçado. Qualquer um pode fazer isso. Então, trate de elaborar um novo roteiro. A sua confiança e o público agradecem.

6. DEIXE O AMOR ENTRAR

Receba os elogios com gratidão sem rebatê-los com comentários do tipo: "Besteira, impressão sua!" Experimente dizer: "Muito obrigado." E só.

Cuide do seu corpo também. Eu vivo correndo de um lado pro outro, ocupada demais com meu trabalho, carregando meu pobre corpinho pra lá e pra cá como um saco plástico numa ventania. Quando o tempo é escasso, geralmente o corpo é a primeira coisa a passar despercebida. "Hoje tenho cinco reuniões. E então vou comer só uma barrinha de cereais no almoço e deixo a aula de ioga pra amanhã." Enquanto isso, durante nossa curta estada neste planeta, precisamos do nosso corpo bem mais do que ele precisa de nós. Elogie seu corpo, coloque uma roupa bem bonita nele e leve-o para passear. Ele merece um bom sexo, banhos de espuma e massagens. Mexa-o, alongue-o, alimente-o, hidrate-o, preste atenção nele – quanto melhor nos sentimos com nosso corpo, mais felizes e produtivos nos tornamos.

7. NÃO SE COMPARE COM OS OUTROS

Você já fez alguma coisa que o encheu de orgulho a ponto de se sentir no topo do mundo até se dar conta de que alguém tinha feito algo parecido, mas a seu ver melhor, e de repente começou a se sentir triste?

••
A comparação é o meio mais rápido de sabotar a alegria de nossas vidas.
••

O que as outras pessoas fazem não é da sua conta. O que importa é que você se divirta e se satisfaça com o que você faz. Sua particularidade é justamente o que o torna extraordinário – achar que a singularidade alheia é melhor que a sua, convenhamos, não é exatamente uma postura inteligente.

Já imaginou como seria nosso mundo se nossos heróis tivessem sucumbido aos perigos da comparação? Se Marilyn Monroe se comparasse a Kate Moss e resolvesse que precisaria perder suas curvas? Ou se os caras do Led Zeppelin se comparassem a Mozart? *Caramba, esse cara é demais. Ele é mais formidável do que a gente jamais vai ser, e olha que nem baterista ele tem. Talvez seja melhor nos livrarmos do nosso e procurarmos um harpista enquanto é tempo.*

Você é mais do que o bastante. Fuja da comparação como quem foge da peste.

8. PERDOE A SI MESMO (PRESTE ATENÇÃO! ISSO É EXTREMAMENTE IMPORTANTE)

Você fez besteiras no passado. E as fará novamente. Todo ser humano nasce com a tendência de cometer erros espetaculares. Você não está sozinho, fazer merda não é uma habilidade especial. Supere. Ficar carregando culpa e autocrítica nas costas, além de doentio, é totalmente inútil para não dizer chatíssimo. Você não se torna melhor ao se sentir mal nem culpado, apenas se torna mais triste.

Entenda de uma vez por todas: culpa, vergonha e autocrítica são algumas das forças mais destrutivas da vida, e por isso mesmo se perdoar é uma das mais poderosas. Eis uma excelente maneira de fazer isso:

Pense em alguma coisa específica que você fez e que o deixou se sentindo muito mal. Fixe essa coisa na mente e sinta-a no seu corpo. Repita as seguintes palavras inúmeras vezes, pensando e sentindo de verdade o que elas querem dizer:

Ao me apegar a esses sentimentos ruins, não consigo nada além de prejudicar a mim mesmo e aos outros, e me impeço de desfrutar plenamente a vida. Sou uma pessoa extraordinária. Escolho desfrutar a vida. Escolho deixar isso ir embora.

Repita esse procedimento até sentir-se livre e leve. Isso pode levar um dia, uma semana ou alguns meses, ou pode acontecer de imediato. Mas, por mais que demore, faça, porque se você quer se libertar precisa investir tempo (veja o Capítulo 15 para mais dicas sobre perdão e indulgência). E se você precisa pedir desculpas a alguém pegue o telefone agora mesmo.

9. AME A SI MESMO

Pois isso é o Santo Graal da felicidade.

CAPÍTULO 7

EU SEI O QUE VOCÊ É, MAS O QUE EU SOU?

Não fico ofendida com todas essas piadas sobre louras burras porque sei que não sou burra.
Também sei que não sou loura.

– Dolly Parton; cantora, compositora, atriz, altruísta, mulher de negócios, uma luz brilhante

Uma vez, uma amiga – e escritora brilhante – me ligou em pânico quando subitamente paralisou de medo diante do tema do livro em que estava trabalhando e não conseguia mais escrever.

Era um livro bastante pessoal, entre outras coisas esplêndidas, além de sombrio e polêmico, e ela estava preocupada porque achava que tinha chegado ao limite. Que tinha passado da conta.

Achava que estava se expondo demais, parecendo uma verdadeira pervertida.

Isso nos lembra de algo MUITO importante de se ter em mente se desejamos chegar pelo menos perto de atingir nosso inteiro potencial como escritores, artistas, empresários, pais, açougueiros, padeiros, vidraceiros ou como ser humano plenamente realizado e evoluído no todo:

NÃO DESPERDICE O SEU PRECIOSO TEMPO DANDO A MÍNIMA IMPORTÂNCIA PARA O QUE OS OUTROS PENSAM DE VOCÊ.

Imagine quão libertador isso seria! Opiniões alheias orientam cada movimento que fazemos desde a adolescência até os vinte e poucos anos. Porém, à medida que os anos passam, se estivermos na direção certa, a obsessão pelo que os outros pensam de nós começa a se dissipar, mas poucos de nós conseguem escapar por completo.

Por isso, as únicas perguntas que você precisa se fazer antes de tomar decisões são:

1. Isso é algo que quero mesmo ser, ter ou fazer?

2. Isso me levará para onde quero (não que eu *deveria*) ir?

3. Isso vai ferrar* alguém durante o processo?

* A definição de *ferrar alguém* é receber dinheiro e fazer um trabalho malfeito, ou destruir seu reservatório hídrico ou escravizar pessoas; enfim, coisas desse gênero – se sua mãe ficou decepcionada, se seu pai não aprova ou se seus amigos se sentiram ofendidos, nada disso significa *ferrar alguém*.

•••••••••••••••••••••••••••••••••••••••
Jogamos um balde de água fria em nossas próprias cabeças quando vivemos com medo da opinião alheia em vez de celebrar quem realmente somos.
•••••••••••••••••••••••••••••••••••••••

Claro, a precaução faz parte de nosso instinto de sobrevivência – seja expulso da tribo, e é questão de tempo morrer congelado, de fome ou devorado por lobos. Mas como temos um cérebro grande e capacidade de expressar o que elaboramos mentalmente, existe outra versão igualmente plausível: seja expulso da tribo e comece outra ou encontre uma que faça mais seu estilo. Você pode não só começar a fazer o que você ama cercado de pessoas adoráveis com as quais realmente se identifica, como um dia pode se dar conta de que já nem se lembra mais dos nomes das pessoas cuja aprovação parecia uma questão de vida ou morte.

Todos aqueles que um dia realizaram algo grandioso, inédito ou digno de comemoração só puderam fazer isso ao sair da zona de conforto. Eles se arriscaram ao ridículo e ao fracasso, e por vezes até mesmo a morte. Pense nos irmãos Wright. Já imaginou uma cena como a seguinte?

Margaret: Soube da pobre Susan?
Ruth: Susan Wright?
Helen: Que desgraça. Coitada.
Ruth: O que houve?
Margaret: Bem, os filhos dela...
Helen: Como se ela já não tivesse sofrido muito. Como se não bastasse ter parido dois garotos enormes como búfalos, e agora...
Margaret: Parece que os filhos dela...
Helen: Você vai comer o resto do pudim de tapioca? Você se importa se eu me servir?

Ruth: Fala logo, Margaret!

Margaret: Bem, isso vai soar muito louco, mas eles...

Helen: Eles acham que podem voar. Que vergonha.

Margaret: ... e agora os filhos dela acham... eles acham que podem voar.

Ruth: Eles acham que podem voar?

Margaret: Sim, eles acham que podem voar. Eles não falam de outra coisa.

Helen: Ela acabou de pintar a casa. E talvez a família tenha que sair da cidade agora...

Depois que você se afastar do rebanho e deixar o seu verdadeiro eu brilhar, talvez você se veja de frente a um pelotão de fuzilamento de opiniões (especialmente se quiser fazer algo extraordinário e fora da zona de conforto da maioria), motivo pelo qual muitos saem correndo aos berros fugindo das vidas que adorariam viver. O mero fato de se expor é um risco. É só reparar na forma como tratamos as celebridades – todos os seus passos são pinçados, divulgados, discutidos, julgados e fotografados sem maquiagem. É de espantar que apenas metade delas vá parar em clínicas de reabilitação.

•••

Você é responsável por aquilo que diz e faz. Você não é responsável se os outros piram ou não diante disso.

•••

Duas pessoas podem sair da mesma sessão de cinema, uma subindo pelas paredes, com os olhos injetados de sangue, devastada, deixando um rastro de lágrimas, mais tocada por esse filme do que por qualquer outro na história do cinema, enquanto a outra se dirige à bilheteria e pede o dinheiro de volta por considerá-lo o pior lixo já projetado numa tela.

Um filme, duas experiências bem diferentes. Por quê?

Porque não tem a ver com o filme, tem a ver com os espectadores.

•••
O que as outras pessoas pensam de você não tem nada a ver com você, e sim com elas.
•••

O truque não é apenas impedir que as críticas tenham qualquer poder sobre você, mas sim, o que é mais desafiador, não se prender aos elogios. Não há nada de errado em aceitar, até com algum embaraço, um elogio, mas se você está sempre em busca de opiniões alheias dizendo que você é bom, ou legal, ou talentoso, ou digno, você está ferrado. Pois quando você baseia sua autoestima naquilo que os outros pensam a seu respeito, você entrega todo o seu poder a terceiros e se torna dependente da validação de fontes externas. Então você começa a perseguir algo sobre o qual não tem controle, e se de repente esse algo direciona o foco a outra coisa, ou muda de ideia e decide que você não é mais interessante, você acaba diante de uma baita crise de identidade.

•••
Tudo o que importa é o que é verdade para você, e, se você puder se ligar a isso sem hesitar, você será um super-herói poderoso.
•••

Tudo o mais não passa de percepção da realidade de outras pessoas, o que não é da sua conta.

Mas como não se importar com aquilo que as outras pessoas pensam sobre o seu poderoso eu?

1. PERGUNTE A SI MESMO POR QUÊ

Por que você está prestes a fazer ou dizer alguma coisa? É para ser apreciado? Para botar alguém pra baixo porque se sente inseguro? Para se vingar de alguém que fez uma piada sobre a obesidade de sua mãe? Ou parte de um lugar de força e verdade? Vai fazer isso porque é divertido? Porque se sente impelido? Porque isso vai mudar a vida de alguém de forma positiva e sem martírio? Preste atenção às suas motivações (seja honesto). Aja com integridade e você será vitorioso.

2. DÊ SEMPRE O MELHOR DE SI

A maneira mais rápida de se tornar vítima dos estímulos alheios é se sentir inseguro. E a melhor maneira de se sentir inseguro é fazer algo pela metade ou se engajar em alguma coisa na qual não se acredita. Não importa o que seja – aquele que dá o melhor possível, com integridade, sente-se orgulhoso de si e não liga a mínima para o que os outros pensam.

3. CONFIE NA SUA INTUIÇÃO

Os pássaros utilizam a intuição para percorrer o céu até os locais de acasalamento do outro lado do mundo. Os veados, coelhos e outros animais do mesmo tipo a usam para evitar cruzar com predadores. Por outro lado, o ser humano médio é capaz de aceitar o

conselho daquele vizinho que está sempre bêbado antes do meio-dia em vez de fazer o que ele sabe, no fundo, que é o melhor. Quantas vezes você não pensou em retrospectiva *Eu sabia que deveria ter seguido minha intuição!?*
Você possui uma extraordinária bússola interna que pode usar sempre que precisar. Mande todo mundo calar a boca e se afaste, procure o silêncio, se dê espaço para sentir e pensar. Todas as respostas estão dentro de você. Pratique afiando sua intuição, se dê um tempo para reforçar sua conexão com a Energia Primordial e acredite que sabe o que é melhor para você. Quanto mais centrado e atento, mais poderoso você se torna (há mais dicas sobre como fazer isso mais adiante, neste livro).

4. ENCONTRE ALGUÉM EM QUEM SE ESPELHAR POR UM TEMPO

Encontre um mentor, um herói ou um modelo. Entenda com clareza o que torna essa pessoa extraordinária e inspiradora para você, e quando se deparar com desafios que o deixam em dúvida sobre como agir pergunte-se: *O que meu herói faria?*
Não ligar para o que os outros pensam é como um músculo que leva algum tempo para se desenvolver; portanto, pense nisso enquanto estiver treinando, e antes que você perceba vai estar pronto para abandonar seu herói e começar a perguntar a si mesmo: *O que eu faria?*

5. AME A SI MESMO

Não importa o que os outros pensem.

NOTA IMPORTANTE SOBRE AS OPINIÕES ALHEIAS: Não basear a sua autoestima naquilo que as outras pessoas pensam a seu respeito não significa que você não possa se beneficiar de jeito nenhum de outras opiniões. Especialmente quando vêm de quem o conhece bem.

Tanto a crítica quanto o elogio podem, sim, ser construtivos. No entanto, isso depende de você.

Por exemplo, se as pessoas costumam dizer que você vive com a cabeça quente e que por isso não se abrem porque sempre que você discorda delas você explode, pergunte a si mesmo: *Isso é verdade? (Seja honesto.) Posso usar essa informação para melhorar alguma coisa em mim e nos outros?* Caso a resposta seja afirmativa, comprometa-se a fazer as mudanças necessárias; caso a resposta seja negativa, deixe pra lá.

O mesmo vale para os elogios. Se as pessoas sempre repetem que você é um bom ouvinte, pergunte-se: *Esse elogio vale mesmo para mim? Posso usar essa informação para melhorar alguma coisa em mim e nos outros?* De novo, caso a resposta seja afirmativa, descubra como capitalizar isso; caso a resposta seja negativa, deixe pra lá.

Às vezes os outros conseguem enxergar aquilo que nós mesmos não conseguimos, e por isso eles podem nos ajudar a nos conectar com nossa verdade e viver uma vida mais feliz e mais autêntica, de modo que vale a pena reservar um tempo para ouvi-los.

Em última análise, tudo se resume ao que é verdadeiro para você; portanto, quanto mais você se liga à sua verdade interior, mais fácil fica administrar as opiniões alheias sem deixar que elas governem sua vida.

CAPÍTULO 8

O QUE VOCÊ ESTÁ FAZENDO AQUI?

A grande questão é saber se você será capaz de dizer um caloroso sim para a sua aventura.

– Joseph Campbell; mitólogo norte-americano, cujos livros e ideias influenciaram a produção de *Star Wars*

Ter plena consciência do seu verdadeiro propósito pode ser a diferença entre uma vida feliz, abundante, extrovertida e de muitas escolhas ou uma vida na penúria de sua própria indecisão e de velhas desculpas.

Um presente, claro, existe para ser dado, e por isso é tão doloroso quando não sabemos qual o nosso dom ou sabemos, mas estamos capengas demais para colocá-lo em prática: cá estamos nós com o presente perfeito para compartilhar com o mundo, só esperando para ser aberto, mas o mantemos dentro de uma caixa, firmemente amarrado, envelhecendo e juntando poeira. Oh, que desperdício! Que agonia!

A alegria de dar um presente perfeito para alguém é incomparável. Todos nós já sentimos a expectativa que nos leva a torcer as mãos, quase nos levando a fazer xixi nas calças, enquanto imploramos para que se abra o presente. ABRA LOGO ISSO! *Jesus Cristo... vem cá, deixa que eu mesmo abro esse troço!* O poder de dar é tão forte que muitas vezes a emoção e os bons sentimentos são bem maiores para quem dá do que para quem recebe.

Por isso, quando você descobre sua vocação e projeta sua vida de maneira a poder compartilhar os seus dons com o mundo de maneira consistente, é como ser um *rock star*.

•••

Quando compartilhamos aquilo que viemos trazer ao mundo, acabamos por nos alinhar com nosso maior e mais poderoso eu.

•••

Mas a maioria das pessoas vaga pela vida distribuindo uma versão "vela decorativa" de seus dons. Claro, elas não chegam na festa de mãos vazias, isso nunca; mas oferecem um presente desengonçado para o mundo e em troca recebem um abraço morno e um "oh, não precisava", mas nunca dão o melhor de si. Por exemplo, elas continuam trabalhando em algo odioso ou entediante, mas, você sabe, razoável. Um trabalho que sustenta o básico, desde que não as enlouqueça. Elas se divertem, mas não tanto quanto gostariam, porque não têm dinheiro. Ou tempo. Ou a sensação de que merecem. Elas conseguem pequenas vitórias aqui e ali, atingem a meta de vendas e ganham seis dias de cruzeiro para as Bahamas, ou acumulam milhas suficientes para visitar uma tia e assistir às Olimpíadas, ou finalmente sentam e escrevem uma música inteira que nem sabem se será gravada ou executada, mas nunca olham para si mesmas nem vivem de maneira a se satisfazer. Elas basicamente se deixam afastar da vida pelo Grande Dorminhoco.

Toda pessoa nasce com dons únicos e valiosos para compartilhar com o mundo. Assim que descobrimos quais são esses dons e decidimos colocá-los em prática, só então é que a festa começa de verdade. Viver a vida com propósito é algo possível *para qualquer um*. Então, se você está batalhando, arrumando a vida ou totalmente confuso sobre o que deve fazer, saiba que a resposta já está aqui e agora. Ela existe, bem como o estilo de vida que você anseia por viver. Você só precisa enxergar com mais clareza.

Há muitos livros que descrevem como encontrar sua vocação (partilho alguns dos melhores na bibliografia ao final deste livro e no meu *site*), mas a seguir dou algumas de minhas dicas favoritas.

Lembre-se, porém, de que não há maneira certa de fazer isso. Cada pessoa tem uma jornada singular, mas todos tentam chegar ao mesmo lugar – onde se sentem mais felizes, mais vivos e mais fiéis a si mesmos.

Ainda que você já tenha conquistado a carreira perfeita, continue lendo, porque essas dicas podem ajudá-lo em todas as áreas da sua vida.

Como descobrir com clareza quem você é e qual sua vocação:

1. SEJA O ALIENÍGENA

Imagine-se como um alienígena flutuando no espaço e que de repente mergulha até a Terra e passa a habitar seu corpo. Na condição de alienígena, tudo nessa vida é novo para você. Você olha ao redor – o que você vê? O que essa pessoa sabe fazer de incrível? O que as pessoas costumam fazer para se divertir? Que conexões estabelecem entre si? Quais recursos e oportunidades estão à disposição?

Como alienígena, para quem tudo é novo e excitante, para quem não há nada a perder, não há passado para carregar, o que você vai fazer com essa vida nova e extraordinária na qual entrou? Como vai utilizar esse novo corpo e essa nova existência para gerar algo fabuloso e fantástico a partir de agora?

Esse exercício é extremamente útil para abrir uma nova perspectiva e dar o primeiro passo para fora da rotina de desculpas esfarrapadas e hábitos capengas. E também pode ser muito vantajoso para você se conscientizar do leque de possibilidades e recursos que estão ao seu alcance, mas que subestima ou não enxerga. Às vezes é bem simples olhar para as coisas com novos olhos, o que nos faz perceber como somos sortudos. Seja um alienígena por vinte e quatro horas e veja o que descobrirá.

2. DÊ O PRIMEIRO PASSO

Em vez de desperdiçar horas, dias e anos na tentativa de descobrir um próximo movimento perfeito, FAÇA alguma coisa agora mesmo. Ah, quanto tempo perdemos rolando ideias na cabeça, arquitetando milhões de alternativas, razões perfeitas para um *sim* e razões perfeitas para um *não*, roendo as cutículas, telefonando para os amigos e familiares a fim de discutir algumas ideias. Saia de sua cabeça e tome uma atitude. Você não precisa saber exatamente aonde isso vai levar, só precisa começar com algo que pareça uma boa aposta, seguir as coisas que lhe fazem bem e ver aonde isso vai levar.

•••••••••••••••••••••••••••••••••••••
A maioria das respostas se revela por meio do fazer, não do pensar.
•••••••••••••••••••••••••••••••••••••

Ironicamente, quando descobri meu chamado para ser *coach*, fazia muito tempo que eu estava obcecada em descobrir qual era o meu bendito propósito. Se por um lado eu sempre soube que escrever era parte dele, por outro eu também sabia que não queria passar a vida trancada sozinha em algum quarto silencioso, pirando, em luta livre com as palavras. Eu queria algo que: A) envolvesse interação com outras pessoas, B) ajudasse as pessoas de forma direta, C) fosse realmente divertido, D) me forçasse a tomar banho, me vestir e sair de casa. Isso era tudo que eu tinha de informação, além do meu desejo de descobrir minha vocação. Portanto, quando uma amiga disse que eu devia conhecer um *think-tank* empresarial de mulheres que havia acabado de se formar, aceitei o convite.

Todas nós devíamos apresentar projetos nos quais trabalhar, mas eu não tinha nada, apenas a esperança de ter algumas ideias a partir de algo que uma delas colocasse em pauta. Depois de ficar lá sentada durante quatro semanas, assistindo àquele grupo incrível de mulheres que tentavam descobrir o que gostariam de fazer e como transformar ideias brilhantes em negócios ou como ampliar os negócios que já realizavam, eu ainda não tinha nenhum projeto próprio. Mas eu sabia o que queria fazer. Fui até a facilitadora e perguntei se ela precisava de alguma ajuda, o que de fato ela precisava. Ela me contratou, e comecei a guiar aqueles grupos, e depois de alguns anos iniciei a minha própria prática de *coaching*. Isso me fez trabalhar com clientes pelo mundo afora, o que por sua vez me levou a sentar no balcão da minha cozinha para escrever este livro.

Não importa o quão desnorteado você se sinta agora, preste atenção às sugestões e oportunidades que aparecem subitamente e observe como você próprio reage – existe alguma coisa que, por qualquer razão, valha a pena conferir? O que você sempre disse que gostaria de fazer mesmo? Alguém mencionou um curso, um professor ou um livro que não saem de sua cabeça? Dê o primeiro passo em direção ao que lhe faz bem e veja para onde isso irá levá-lo. Faça isso AGORA.

3. DÊ SEMPRE O MELHOR DE SI

Mesmo depois de dar esse primeiro passo, talvez você não aterrisse imediatamente no campo dos seus sonhos. Talvez você pouse em algum trampolim, e tanto pode ser um trampolim extraordinário como um traiçoeiro. Mas não importa aonde seu primeiro passo o levar. Se quiser seguir em frente, aprecie o lugar onde está e não se envergonhe, não se aborreça nem se impaciente com isso.

Tudo o que se faz ao longo de uma jornada exerce influência sobre o ponto de chegada.

Digamos que, a fim de correr atrás de sua fantasia de ser um *rock star*, você aceita um emprego onde serve mesas para ter a flexibilidade de viajar, fazer shows e gravar. Claro, sua vocação é a música, e não se preocupar com o cliente reclamão falando que a sopa de cebola supostamente está fria, mas é essencial que você também se importe com isso. Agir corretamente e ser grato por todas as coisas que o ajudam a conquistar a vida dos seus sonhos não apenas torna a vida mais aprazível e rende gorjetas maiores, como também eleva sua frequência e atrai pessoas e oportunidades que o guiam na direção em que você quer ir.

É nesta hora que viver o presente vem bastante a calhar. Claro, você pode não estar fazendo piruetas no palco, diante de milhares de pessoas, mas lembre-se de que já está no rumo certo, indo bravamente em direção ao seu sonho, rodeado de oportunidades e milagres inimagináveis. Recoste-se, relaxe e agradeça por ter um objetivo em vista, por estar emitindo alta frequência, por tudo estar se aproximando cada vez mais de você.

4. NÃO REINVENTE A RODA

Observe o que as outras pessoas ao redor estão fazendo. Quem desperta mais inveja em você? Que coisas os outros fazem que você também gostaria de fazer? Quem é a pessoa mais incrível que já existiu? Você não precisa inventar uma vida nova a partir do zero, só precisa descobrir aquilo que o faz se sentir vivo. Então, repare se alguém está fazendo alguma coisa que desperta o seu interesse. Talvez sua vocação tenha algo em comum com a dele.

Descubra precisamente quais as coisas feitas pelos outros que despertam o seu interesse. É porque eles viajam pelo mundo? Porque têm uma rotina sólida? Porque não têm rotina? Porque trabalham sozinhos? É porque trabalham pelados? Porque passam o dia inteiro ao ar livre? Porque trabalham com as mãos? Com os olhos? Com os ouvidos? É porque trabalham com animais? Com o cônjuge? Quanto mais preciso você for, mais facilmente poderá formar uma imagem do que quer.

Leia, converse com o máximo possível de pessoas, frequente lugares onde as pessoas se reúnem para dividir os mesmos interesses. Saia de casa, nunca se sabe o que você poderá aprender ao dar o próximo passo ou quem poderá conhecer e que irá apresentá-lo a sua próxima oportunidade.

5. NÃO SEJA PEGO PELAS MODINHAS

Um dos equívocos mais paralisantes é a expectativa de que todos tenham uma vocação genuína que chega por meio de um poderoso vislumbre da alma. Embora existam aqueles que sabem exatamente o que querem fazer, também existem muitas outras pessoas que durante grande parte da vida, se não for a vida inteira, saem vagando por aí enquanto procuram a sua vocação escondida debaixo das pedras e atrás das árvores.

Relaxe se você ainda não sabe que grandiosa e perfeita tarefa você veio realizar aqui (o mesmo vale em relação a encontrar o par perfeito, inclusive) e sinta-se bem com o fato de que você provavelmente vai ouvir diversos chamados (e talvez até relacionamentos) durante a vida.

Se você parar para pensar, tudo isso evolui conforme a idade, também. Quando lembro quem eu era aos vinte anos comparada ao que sou agora, nada me soa mais sem graça do que sair em busca de algumas coisas que me orientavam naquela época.

Siga apenas o que é bom para você no momento, em cada um deles, pois isso o conduzirá a uma vida melhor.

6. DÊ OUVIDOS À SUA INTUIÇÃO

Se você realmente quiser entrar em contato com quem você é e com aquilo que você gosta de fazer, reserve um tempo para se sintonizar com sua intuição. Uma boa maneira de fazer isso é todo dia passar cinco minutos sozinho, em silêncio. Passamos grande parte do tempo a toda velocidade, no sentido físico e mental, e atropelamos as respostas que procuramos porque não conseguimos ouvi-las em meio à barulheira. Quando você se senta e faz uma pergunta com calma, recebe por fim uma resposta. Mantenha-se firme, seja paciente e espere até ouvir o seu guia interior. Você tem todas as respostas necessárias, só precisa dar uma chance para que cheguem até você.

7. SIGA SUAS FANTASIAS

Agora que já falei sobre todas as formas suaves e gentis de descobrir a si mesmo, vou dar uma sugestão que talvez não lhe agrade tanto: mergulhe fundo no vazio e siga suas fantasias. Sobre o que você fantasia quando olha para fora da janela de um trem, ou antes de se deitar à noite, ou quando finge ouvir aquele chato que não para de falar? Você está fazendo stand-up comedy diante de milhares de fãs às gargalhadas? Está contente e rodeado de lindos filhos na casa mais feliz e aconchegante que existe? Está sendo homenageado pela construção de orfanatos ao redor do mundo? Faça esse exercício, como se o dinheiro não chegasse a ser um problema. Faça o que lhe traz uma alegria imensa, não o que você acha que precisa fazer para sobreviver. Se você tivesse muito dinheiro, o que faria da vida?

Nossas fantasias são como um olho mágico que melhor revela quem somos e o que nos encanta. Não importa que pareçam ridículas ou impossíveis, elas têm seu significado e geralmente representam o que há de melhor e mais legítimo em nós.

••••••••••••••••••••••••••••••••••••••
Nossas fantasias são nossas realidades em um mundo livre de subterfúgios.
••••••••••••••••••••••••••••••••••••••

No entanto, ficaríamos mortificados se alguém pudesse ler nossa mente e nos pegasse no flagra: "Eu sei, isso é completamente ridículo, querer cantar num musical da Broadway." Ora, isso é *realmente* ridículo? Se alguém está lá fazendo isso, por que você não poderia fazer?

Passamos a maior parte do tempo fingindo não saber qual é nossa vocação, quando na verdade estamos morrendo de medo de encará-la porque parece impossível, ou porque não dá para ganhar dinheiro com ela, ou porque não merecemos.

E se você tivesse a audácia de deixar para trás as desculpas e a vergonha de se tornar incrível e realmente mergulhasse de cabeça nesse desejo? E se você fizesse a coisa mais escandalosa e mais emocionante que já ousou fantasiar, a despeito do que os outros e seu próprio eu apavorado acham disso?

ISSO seria viver.

8. AME A SI MESMO

Como se você fosse a única pessoa que existe.

CAPÍTULO 9

O HOMEM DA TANGA

É melhor ser odiado pelo que você é do que ser amado pelo que você não é.

– André Gide; escritor francês, ganhador do Prêmio Nobel, intrépido explorador de si mesmo

Todo mês de maio eu coloco a mochila nas costas e percorro as áreas desérticas e selvagens do sudeste de Utah com dois amigos de longa data. Esse é um dos lugares mais bizarros e magníficos que já vi: saliências rochosas gigantescas e irregulares de um tom de rosa profundo, como enormes placas de carne crua; torres de areia em tons de branco, amarelo e roxo formam esculturas extensas e retorcidas, como se feitas de caramelo; profundas rachaduras na superfície de terra formam cânions estreitos, semelhantes a catedrais, cujas paredes desbastadas por enchentes e tempestades de areia mudam de cor à medida que os raios de sol se deslocam pela abertura no topo.

É como pisar na Lua. Só que melhor.

Atravessamos alegremente aquele universo alternativo, catando pedras coloridas, escalando rochas e discorrendo sobre qual águia, serpente ou cabra merecia o prêmio Criatura do Dia. Como meus amigos são excelentes guias, adentramos as áreas mais selvagens, sem trilhas e com muito menos gente. Ao longo dos dezesseis anos que exploramos aquele lugar, podíamos quase contar nos dedos o número de mochileiros com que esbarramos. Por isso, então, a minha surpresa e desconfiança quando Tom, que seguira à frente para achar um bom lugar para acamparmos à noite, relatou que tinha visto alguém.

– Acabei de encontrar um tipo genuinamente selvagem – disse ele quando o alcancei. – Vestia apenas uma tanga e uma faixa na cabeça. Segurava uma lança, também. Disse que vive nesse cânion há treze anos.

– Ele montava um dragão mágico?

– Estou falando sério.

– Onde ele está, então?

– Foi checar uma armadilha de esquilo que ele fez. Mas deve voltar.

– Hummm.

Tom mente muito mal, e, seja lá aonde aquela piada ia chegar, o clímax não estava próximo, de modo que tratei de tirar a mochila e comecei a montar minha barraca sem prestar muita atenção ao que ele dizia. Ainda estava debruçada e martelando uma estaca da barraca quando avistei por debaixo de mim dois pés bronzeados com sandálias feitas à mão, pernas vigorosas à mostra, e uma mão que balançava um esquilo pela cauda. Fiquei de pé, me virei, e lá estava ele, o Homem da Tanga.

O detalhe não mencionado por Tom é que o Homem da Tanga era um bonitão – trinta e poucos anos, com um corpo bem definido, esbelto, marcado pelo sol de forma rústica, cabelo castanho desgrenhado e barba idem. Ele preenchia todos os requisitos – mistura de Tarzan moderno e divindade hindu com alguma delicadeza. Ele era tão impressionante que na mesma hora fiquei desconfiada. A isso se somava uma tanga impecavelmente talhada, que mais parecia feita de couro italiano macio e não de algum coelho selvagem do cânion. *Você se importaria em segurar isso para eu poder olhar melhor, por favor?* Aquilo me pareceu um tanto clichê, também. Ele não poderia vestir um calção velho? Ele ia *mesmo* comer aquele esquilo? De qualquer forma, impressionados por tal acaso, nos agrupamos em volta dele como se ele fosse um porquinho numa feira de filhotes, embevecidos diante de tamanha sorte. Dessa vez não houve discussão; tínhamos acabado de encontrar nossa Criatura do Dia.

Era um cara simpático que respondia às perguntas com um ritmo deliberadamente lento, explicando que tinha feito seu lar naquele e em outros cânions próximos. Dissertou com muita convicção e naturalidade sobre como a sociedade moderna era desnecessariamente complicada e equivocada, a tal ponto que ele preferia viver apenas daquilo que a natureza provia, armazenando grãos no inverno e dormindo em cavernas. O que mais me surpreendeu além do fato de que ele cortava o cabelo com uma pedra afiada e provavelmente estivesse sem cueca era que ele não demonstrava qualquer sinal de arrependimento. De modo que começamos a nos sentir ridículos em nossas caras roupas com proteção ultravioleta e botas de trilha quando ele descreveu que levara semanas para talhar o arco e a flecha que usara para matar o veado cuja pele lhe servia como colcha.

"Melhor para ele", pensei comigo enquanto ele se afastava balançando o esquilo como uma bolsa, sem se importar com o que deveria estar fazendo, nem com o que estaria perdendo, nem com o que uma garota californiana estaria pensando daquela tanga sensual. Enfim, um sujeito feliz por ser fiel a si mesmo naquele momento, no meio do nada.

Eu quero ser como o Homem da Tanga.

AME A SI MESMO

Não importa quem você seja.

PARTE 3

∞

Como beber da Matriz

CAPÍTULO 10

MEDITAÇÃO 101

Você nunca está sozinho ou desamparado. A força que guia as estrelas também o guia.

– Shrii Shrii Anandamurti; filósofo indiano,
revolucionário social, escritor, compositor

Conhecida vulgarmente como a arte de se sentar e pensar em nada, a meditação é uma daquelas coisas que tanto podem ser estupidamente simples como surpreendentemente difíceis. Ela me evoca aquelas competições onde um grupo de pessoas se coloca em torno de um carro ou de um caminhão, e a última a retirar as mãos de cima do veículo o leva para casa. A primeira página do jornal local estampa um vencedor sonolento sorrindo atrás do volante do veículo recém-conquistado, olhando para a câmera com o polegar para cima: "Jill Boender, de nossa Tarrytown, é a orgulhosa vencedora do Chevy Stand Off 2012, realizado em Green Bay, Wisconsin, no último fim de semana. Jill venceu 68 concorrentes de todo o país, permanecendo de pé durante 173 horas e 9 minutos no estacionamento do Home Depot com as mãos determinadas e inflexíveis sobre o capô daquele novo Chevy Silverado que logo seria seu. 'Fiquei muito animada quando ganhei', disse ela. 'Foi uma competição dura, com algumas pessoas que nunca pensei que desistiriam, mas realmente apresentei o melhor jogo que tinha.'"

Com a meditação, a simplicidade é igualmente enganosa. *Isso é tudo o que tenho a fazer para me conectar com a Matriz? Sentar lá e não fazer nada? Não pode ser tão fácil.*

No entanto... é sim.

E não é.

Por isso, é chamado de *prática* de meditação.

Quando você silencia e medita por até cinco minutos, observando os pensamentos que matraqueiam no seu cérebro, isso é... revelador. Se você é como a maioria das pessoas, grande parte de seus pensamentos é tão valiosa e interessante quanto um bando de crianças de dois anos brigando por uma mamadeira. O objetivo é aquietar o falatório da mente a fim de se conectar com a Energia Primordial e assim escutar seu guia interior.

Vou explicar todo o passo a passo sobre como meditar, mas antes disso quero recomendar que você comece devagar e vá aumentando gradualmente. Primeiro medite de cinco a dez minutos por dia e adicione mais tempo à medida que for pegando o jeito.

Não há jeito certo ou errado de meditar, não há intervalo definido de tempo, não há emoções adequadas, não há regras sobre como nem onde se sentar. O que importa é que seu desejo seja aprimorar ao máximo sua vida. É como beber água, se exercitar regularmente, não falar mal dos outros – você *não é* obrigado a fazer, e a tentação de jogar tudo para o alto é enorme, mas, se fizer da meditação um hábito, não apenas você vai tomar gosto, como sua vida inteira irá se transformar. Isso porque, quando meditamos, praticamos entrar no Vórtice e nos conectar com a Energia Primordial, o que automaticamente:

- Nos traz para o presente
- Eleva nossa frequência
- Nos abre a receber informações e ideias ilimitadas
- Nos relaxa
- Alivia o estresse
- Fortalece nossa intuição e concentração
- Permite ouvir com mais nitidez nossa voz interior
- Nos preenche de luz e amor
- Melhora o humor
- Nos ajuda a amar a nós mesmos

•••

Meditar, e estar no Vórtice, é como surfar uma corrente de ar de maravilhas.

•••

Eis alguns passos curtos e simples de diferentes maneiras de meditar:

MEDITAÇÃO BÁSICA

- Sente-se em uma posição confortável, de pernas cruzadas no chão, ou numa cadeira, com as mãos nos joelhos ou no colo.

- Mantenha as costas eretas e relaxe todo o rosto, especialmente o maxilar e a testa.

- Feche os olhos ou deixe-os abertos, caso isso o ajude a se concentrar sem cair no sono, e olhe suavemente para um ponto abaixo e a poucos centímetros à sua frente.

- Concentre-se na sua respiração. Observe-a enquanto se desloca para dentro e para fora do seu corpo; não é preciso respirar de maneira especial. Apenas se concentre na respiração.

- Liberte delicadamente os pensamentos que chegam ao seu cérebro e concentre-se na sua respiração novamente. Mantenha a mente tão limpa e vazia quanto possível, ouvindo as mensagens intuitivas que podem surgir.

Tã-rã! É isso.

OPÇÕES E SUGESTÕES

1. Programe o despertador. Você já tem pensamentos perturbadores suficientes, não precisa ter que olhar o relógio de trinta em trinta segundos para ver quanto tempo passou.

2. Acenda uma vela e concentre-se nela. Um ponto para descansar os olhos pode ajudá-lo a se manter centrado e no Espaço. Sente-se e fixe os olhos na vela colocada no chão à frente enquanto medita, e veja se isso funciona para você.

3. Imagine um feixe luminoso que desce do céu e entra brilhando no topo de sua cabeça, percorrendo todo o seu corpo até os pés e retornando ao céu para completar um

círculo. Às vezes prefiro me concentrar assim, em vez do método mais popular da respiração, e além disso essa técnica me enche de energia e luz, conectando-me mais profundamente à Energia Primordial.

4. Utilize um mantra. Cada vez que os macaquinhos estão particularmente ativos em minha cabeça, recorro a um mantra para expulsá-los. Repito mentalmente uma palavra ou uma frase, como, por exemplo, "amor", "obrigado", "sim, por favor", "ohm" – algo neutro e que faça eu me sentir bem, mas você pode usar outro tipo de mantra como, por exemplo, "bolo de carne", se funciona para você.

5. Procure meditar depois de acordar para não se distrair com as atribulações do dia. Além disso, estando recém-desperto, a conexão será mais profunda.

6. Se você estiver trabalhando algum aspecto de sua vida, defina uma intenção/pergunta para a prática da meditação. Meditar é como receber informações do Universo; definir intenções e rezar é como enviar informações ao Universo. Existem duas maneiras de fazer isso: a) Comece com uma pergunta do tipo *Como lidar com meu filho aborrescente*? e se houver respostas serão baixadas em paralelo enquanto você medita, ou b) Primeiro medite, abra o canal e aquiete o falatório da mente, e depois faça a pergunta dentro desse espaço de conexão e clareza, observando o que chega de volta a você.

MEDITAÇÃO GUIADA

Há inúmeros CDs e DVDs feitos por hippies e gurus ao longo dos anos para orientar as pessoas na meditação. Sugiro seguir esse caminho se estiver tentando pela primeiríssima vez, caso tenha problemas para dominar a mente. Esses CDs e DVDs são ótimas ferramentas de prática e eu mesma ainda os utilizo ocasionalmente, sobretudo quando quero me concentrar em algo específico.

Há também centros de meditação guiada em muitos lugares, e vez por outra é muito bom meditar em grupo – você pode se alimentar da energia e se disciplina a permanecer sentado por um tempo maior. Procure centros de meditação e *ashrams* na sua cidade. Alguns estúdios de ioga também organizam meditações guiadas.

CANTAR

Cantar também é uma ótima forma de entrar em estado meditativo. Você pode repetir um mantra em voz alta, sozinho, ou, se não quiser chamar atenção nem ser ridicularizado, pode entoá-lo em grupo, em aulas de meditação kirtan. Na meditação kirtan cantam-se mantras com chamados/respostas em sânscrito ou com canções devocionais, e as aulas são ministradas em estúdios de ioga ou em centros de meditação. Procure também a meditação transcendental, cujo método consiste em sentar duas vezes ao dia, por cerca de vinte minutos, para entoar mantras.

Já tive algumas experiências marcantes enquanto meditava: já vi paredes derreterem ao meu redor, já me senti como se levitasse e já experimentei estados tão eufóricos que quase doíam. Tive também experiências extremamente não profundas: caí no sono, passei o tempo todo me contorcendo e pensando no que faria para o almoço, e de repente me senti por inteira no Espaço e, quando me dei conta de que estava nesse estado, pensei, *que bárbaro, estou no Espaço!*, o que, claro, me puxou para fora do Espaço.

O mais importante é a frequência. E mesmo que se sinta no Espaço apenas por um dos trinta minutos que permanecer sentado, isso vai fazer uma diferença notável em sua vida.

Talvez a meditação tenha se tornado ainda mais essencial depois que as muitas tecnologias se colocaram ao alcance de todos e a distração virou um modo de vida. Se por um lado a espécie humana está se tornando cada vez mais consciente, por outro me impressiona como, ao mesmo tempo, nossos momentos de atenção encolhem com muita rapidez. Outro dia eu estava jogando tênis com um amigo que recebeu uma mensagem de texto, pegou o celular e leu a mensagem *sem interromper a partida*. É espantoso que ainda sejamos capazes de enunciar sentenças inteiras.

Além de ser uma das ferramentas mais poderosas da consciência humana, a meditação é uma pausa mais do que necessária na loucura cotidiana, impedindo-nos de nos tornarmos um bando de desmiolados enquanto zanzamos em meio ao nosso admirável e extremamente excitante mundo novo.

CAPÍTULO 11

VOCÊ MANDA NO SEU CÉREBRO

A mente é o poder maior que faz e talha
O Homem é Mente e quanto mais trabalha
A ferramenta do Pensar que molda suas aspirações
Traz à luz mil alegrias, mil inquietações.
Ele pensa em segredo, e isso vem a ser:
O ambiente é apenas o espelho em que se vê.

– James Allen; autor clássico, pioneiro da autoajuda

Quantas vezes você se deu conta da genialidade do Universo? Com todas as suas dimensões em movimento e sua perfeição matemática e suas reações químicas e suas cadeias alimentares e sua gravidade e a magnífica eficiência e complexidade que o compõem? Tal espetáculo de brilho surpreendente não atravessa a totalidade do ser apenas por acaso, por pura sorte, isso foi pensado. A natureza é uma máquina de execução sem problemas, criada por uma Inteligência Universal, onde nada vai para o lixo, onde tudo tem um lugar e um propósito que funcionam em sua forma intrincada e conectada para gerar a espantosa existência de tudo. Em outras palavras, a Energia Primordial é uma sabichona.

Como disse James Allen, escritor e filósofo britânico, pioneiro da autoajuda, na citação que abre este capítulo: "A mente é o poder maior que faz e talha, o Homem é Mente..." – somos a genuína substância pensante utilizada para nos criar. Alô?! Que incrível, não?!

Justamente por isso o pensamento positivo é distorcido pela raiva e pelas crenças negativas inconscientes, e também por isso a meditação e o aprendizado de como guiar os seus pensamentos e amar a si mesmo podem mudar a sua vida.

Nossos pensamentos são os instrumentos mais poderosos de que dispomos.

Penso, logo posso criar maravilhas. Ou o horror. A lição fundamental é que por meio de nossos pensamentos criamos nossa realidade.

E também por isso que se render às ilusões em que você vive agora é se vender por pouco, a menos que elas sejam exatamente aquilo que você deseja. Foi com seus pensamentos que você criou a realidade em que vive agora, de modo que com esse mesmo poder do pensamento você pode transformá-la. Como disse de forma brilhante Wallace Wattles, autor de *A ciência de ficar rico*:

Pensar o que você deseja pensar é pensar a verdade, apesar das aparências.

"Pensar o que você deseja pensar é pensar a verdade." Essa não é a melhor notícia que se pode ouvir? Não importa o que sua realidade parece nesse momento, pois onde você deseja estar é que é a verdade, toda a verdade, nada mais que a verdade, de modo que se você se fixar a essa verdade, se acreditar que essa verdade é real e já está aqui, e agir decididamente, ela vai se manifestar.

Nesse ponto a maioria das pessoas bate o pé e diz coisas do tipo: "Estou sentado na minha cozinha minúscula, comendo atum em conserva direto da lata com uma colher de plástico e você me diz que isso não é a verdade? Você está dizendo que a verdade é que estou à beira da piscina com o presidente dos Estados Unidos?" Se você *quer mesmo* estar na piscina com o presidente dos Estados Unidos e está obstinado em sua mente e em suas ações para criar essa situação, então isso é a verdade.

Já reparou que num mesmo grupo de pessoas que frequenta o mesmo curso, digamos, sobre como iniciar seu próprio negócio de *coaching*, onde todas obtêm as mesmas informações e as mesmas ferramentas, algumas saem de lá arrebentando e outras dão com a cara no chão? Ainda que todas compartilhem o mesmo desejo de sucesso, produzam lindos materiais de divulgação e *ajam* de forma semelhante, apenas as de mentalidade adequada conseguem sucesso. As que botam pra quebrar são aquelas que se imaginam botando pra quebrar, que acreditam de verdade em si mesmas e naquilo que oferecem, que se lembram do quanto querem melhorar a vida dos outros por meio de seu *coaching*, que se empolgam com a recompensa por oferecer isso e não possuem crenças limitadoras subconscientes puxando-as para trás. Aquelas que se sentem estranhas ou que se preocupam se estão sendo insistentes e irritantes, ou que inconscientemente acreditam que não merecem ou não podem ter sucesso, essas não se saem nada bem.

Seus pensamentos e suas crenças ditam sua realidade. Portanto, se quiser transformar sua realidade, transforme suas crenças.

O problema é que quase todas as pessoas se apegam às próprias crenças e geralmente são retrógradas e se fecham para outras versões da verdade. *Não sou bom vendedor; tenho um azar terrível; tenho medo de andar de avião; casamentos não duram; meus pés são feios, não tenho dinheiro...* "Está me chamando de mentirosa? Está vendo um namorado gostoso ao meu lado? Não, não está, você só está vendo um gato no meu colo, ao lado do meu trabalho de bordado, porque eu sou péssima em relacionamentos – esta é a verdade, e sempre será." E esta vai ser a sua verdade porque você escolheu pensar assim. Enquanto você alimentar a besta, ela viverá.

• •

No momento em que você tiver a audácia de começar a acreditar naquilo que não vê, sua realidade vai começar a mudar.

O QUE VEM A SEGUIR É EXTREMAMENTE IMPORTANTE. PORTANTO, PRESTE BASTANTE ATENÇÃO: primeiro, você precisa mudar o seu pensamento. Depois, a prova aparece. Nosso grande erro é que fazemos o contrário: exigimos que a prova apareça antes de acreditarmos nela.

• •

Lembre-se: tudo o que você deseja está aqui e agora. Você só precisa mudar sua percepção para que o seu desejo se manifeste.

"Tudo bem. Eu acredito que estou curtindo um banho de piscina com o presidente dos Estados Unidos da América. E agora? Só preciso dar um telefonema? Ou aparecer na Casa Branca usando sandálias de dedo e com uma toalha em volta do pescoço?" Quando você dá o salto e acredita naquilo que não vê, não se espera que você saiba como fazer isso acontecer; até porque, se soubesse, provavelmente já teria agido. A questão é mudar radicalmente a sua realidade. Então, o caminho a percorrer provavelmente ainda não faz parte da sua consciência presente.

•••
O seu trabalho não é saber *como*, é saber *o que* e estar disposto a descobrir e receber o *como*.
•••

Mantenha o seu pensamento no seu objetivo, faça tudo o que SABE FAZER para que ele aconteça, decida com firmeza inabalável que isso vai acontecer e fique atento às oportunidades.

Tive uma cliente que viajou para a Toscana e viu uma casa que estava à venda. Ela era poeta, na época trabalhava num bar, e mal tinha conseguido juntar dinheiro para comprar a passagem de avião para a Itália – imagine se teria condições para comprar uma *villa* na Toscana. Mas, de qualquer forma, ela resolveu visitar o lugar e se apaixonou. Porém, ainda que soubesse que aquela era a casa dos seus sonhos, ela também sabia que não tinha um tostão furado no banco. Mesmo assim, pediu aos proprietários que tirassem a casa do mercado porque daria um jeito de comprá-la.

Ela voltou de viagem estupefata, achando que talvez tivesse pirado de vez, mas se manteve firme e começou a pedir ideias aos conhecidos. Quase imediatamente, ela se viu enterrada sob uma pilha de avisos de todos que a rodeavam: *É uma grande responsabilidade, sem falar nas complicações pela casa ficar em outro país e, até onde eu sei, você não fala italiano, não é cidadã italiana nem sabe coisa nenhuma sobre como é ter uma casa; além do mais, se você nem pode se dar ao luxo de fazer um clareamento dental, como é que vai pagar uma hipoteca* e blá-blá-blá. No entanto, ela foi em frente, porque apesar de todas as provas em contrário *acreditava que aquela era a sua casa*. Aquela era a sua verdade.

Finalmente, alguém mencionou que ela podia alugar a casa por temporada e assim conseguir dinheiro para comprá-la. Os locatários poderiam pagar o aluguel com um ano de antecedência, e ela só precisaria receber aluguéis suficientes para pagar a casa e *voilà*! Então, cortamos para a cena em que ela descobre que esse procedimento é ilegal, volta à estaca zero, tenta um milhão de outras opções, descobre que, na verdade, o procedimento de receber aluguéis adiantados *não* é ilegal, daí começa a alugar a casa por períodos predeterminados, faz um empréstimo e, para encurtar essa história cheia de altos e baixos, ela é dona da casa já há alguns anos e está pensando em comprar outra.

Se você quiser mudar de vida, você precisa dar uma ajuda aos seus pensamentos. Como Albert Einstein observou muito adequadamente: "O mundo que criamos é um processo do nosso pensamento. Ele não pode ser alterado se não mudarmos nosso pensamento."

Eis algumas maneiras testadas e aprovadas de mostrar ao seu cérebro quem é que manda:

1. PEÇA E RECEBA

Fique quieto, entre no Espaço e faça contato com a Energia Primordial. Esvazie a mente de qualquer falatório e abra um espaço limpo e organizado para gravar os pensamentos do que você deseja na gigantesca substância do pensamento que é a Energia Primordial. Peça o que quiser, envie uma mensagem clara e agradável em um espaço claro e agradável, e inicie o processo de manifestação.

2. AJA COMO SE FOSSE VERDADE

Se você deseja muito alguma coisa, mesmo sem ter qualquer prova de que é possível obtê-la, acredite nisso de qualquer maneira. Faça de conta que já conseguiu, mesmo que não esteja muito certo disso. Aja como se fosse verdade. Se você tem um intenso desejo de curtir um banho de piscina com o presidente dos Estados Unidos da América, pense nas coisas que alguém faria se estivesse nessa situação junto com o maior líder da política mundial. Escolha um traje de banho. Separe as fotos da última viagem que fez para mostrá-las a ele. Prepare-se para o evento. Diga para si mesmo que aquilo está acontecendo – e aja como tal. Coloque-se em situações nas quais você conheça pessoas que possam lhe abrir portas. Abra-se para as oportunidades que poderão conduzi-lo ao seu objetivo. Viva, coma, durma e respire essa ideia. Você pode até achar que está enlouquecendo, mas essa sensação vai acabar quando você estiver se esbaldando na piscina com o presidente.

3. MELHORE O SEU AMBIENTE

Se você deseja ter um estilo de vida melhor e mais inspirador que o atual, e visualiza isso para si mesmo ativamente, terá que fazer um belo esforço para continuar pensando dessa forma, especialmente se a casa onde você vive mais se parece com o barril que é o lar do personagem principal do seriado "Chaves". Assim, embora você vá pensar e imaginar a mudança *antes* de ela acontecer, procure melhorar o lugar onde você está agora. Pinte-o. Limpe-o. Compre móveis novos ou reforme os antigos. Jogue fora tudo que não prestar, deixe o ar entrar pelas janelas, pendure quadros inspiradores nas paredes. Isso não apenas ajudará a manter a sua frequência alta, como também vai alertar o Universo que você não está de brincadeira, que está fazendo tudo que pode e aguardando mais instruções sobre o *como*.

4. FAÇA UM PAINEL DE INSPIRAÇÕES

Nosso pensamento se vale de imagens: se alguém diz "um cavalo usando batom vermelho", você logo imagina um cavalo usando batom vermelho. Você fortalece sua mente quando a alimenta com imagens de coisas e experiências que deseja para si – sua casa dos sonhos com uma piscina infinita no México, rolar pela areia da praia com um gatão sarado, um trabalho voluntário na biblioteca mais próxima, ensinando crianças a ler e a escrever, morrer de rir junto com seus amigos mais queridos. Isso porque a mente envia essa imagem para a Energia Primordial, que, por sua vez, inicia o processo de atração. Recorte fotos de lugares, pessoas, objetos e experiências pelas quais você anseia, faça um painel com elas e pendure-o onde possa vê-lo ao longo do dia. Tenho visto pessoas obtendo resultados fantásticos com isso. Elas colocaram em um painel, nos mínimos detalhes, exatamente a casa ou a mobília ou o local de trabalho com que sonhavam. É espantoso, e superfácil de fazer. É como chamar Deus para recortar e colar com você. Experimente.

5. ESTEJA COM PESSOAS QUE PENSAM DO JEITO QUE VOCÊ QUER PENSAR

Se você andar com gente chorona, pessimista, surtada, que está o tempo todo reclamando da vida, será muito difícil manter sua mente em um estado positivo. Afaste-se de pessoas com mentes pequenas, pensamentos pequenos, e aproxime-se de pessoas que veem possibilidades ilimitadas como uma realidade. Esteja com pessoas movidas por grandes ideias, que tomam atitudes para causar mudanças positivas no mundo e que pensem que nada está fora de seu alcance.

Faça isso conscientemente. E se não conhece ninguém cuja mente tenha tal grandeza faça novos amigos. Se você empacar no "mas eu não conheço ninguém que seja assim", isso se tornará verdade e vai definir o tom débil que você irá usar quando tentar algo a mais para a sua vida. O modo como você faz uma coisa em particular é o modo como você faz todas as coisas em geral. Saia por aí e encontre pessoas que o façam se sentir capaz de pular por sobre edifícios altos com um único salto. Seja claro sobre quem deseja conhecer e se esforce para encontrar essas pessoas. Exija que o Universo conecte você a essas pessoas, pense em lugares onde elas possam estar ou nas coisas que elas fazem, e entre nesse meio. Uma das maneiras mais rápidas de transformar a vida é estar rodeado de pessoas inspiradas, visionárias e entusiasmadas que vivem a verdade que você deseja para si.

6. AME A SI MESMO

A não ser que você tenha uma ideia melhor.

CAPÍTULO 12

GUIE COM AS CURVAS

Existem muitas possibilidades na mente dos principiantes e poucas na mente dos especialistas.

- Shunryu Suzuki; monge zen japonês, autor, professor, também conhecido carinhosamente como "pepino torcido"

Segundo um ditado, "a juventude é desperdiçada pelos jovens". Mas acho que, em certos aspectos, acabamos entendendo isso no fim da adolescência e ali pelos vinte e poucos anos. Colocando à parte as angústias, os dramas e os momentos em que ganhamos carona de uma viatura policial para voltar para casa, ainda carregamos firmemente intacta a capacidade infantil de recorrer ao "porque sim" ou ao "porque não", mas também temos essa recente capacidade adulta de fazer acontecer grandes coisas em nossas vidas. Acrescente-se a isso o fato de que ainda não nos cansamos de ter uma longa lista de fracassos e que ainda temos uma vaga impressão de que a morte só acontece com os outros. Na juventude, nós (isso se você tiver algo em comum comigo) vivemos a vida desrespeitando de forma idiota, porém incrível, os chamados "mas e se...".

Confesso que me lembro de ter feito coisas arriscadas que ainda me levam a dormir com a luz acesa quando penso nelas agora: frequentar locais perigosos da cidade com pessoas igualmente perigosas, viajar clandestinamente em trens, ingerir LSD suficiente para manter um grupo inteiro olhando para as próprias mãos por horas a fio, fazer caminhada pelo deserto sem água, sem um mapa e com um cantil cheio de gim-tônica. Minha prioridade era me divertir, sem pensar nas consequências.

Mas também me lembro de mergulhar nas atividades criativas com o mesmo ímpeto imprudente e de obter resultados espetaculares e emocionantes. Por isso, acho estranhíssimo quando as pessoas dizem: "Se eu soubesse o que sei agora, acho que não teria feito isso." Bem, agradeça a Deus pelo fato de que naquele tempo você não sabia se aquela era ou não era uma atitude estúpida. Você acabaria sentado ao lado de uma pilha de latinhas de cerveja vazias, lamentando-se por não ter lutado por seus sonhos!

O problema é que depois que envelhecem e se tornam "sábios" muitos trocam uma vida plena de objetivos por versões mais "adultas" de vida, que vão do meramente razoável ao totalmente sofrível. Essas pessoas compram a ideia de que ser responsável é igual a deixar de se divertir, que se empolgar pela vida é coisa de gente jovem e que, conforme ficamos mais velhos, precisamos sossegar e ser mais "realistas".

Que tédio!

Não estou dizendo que devemos ser uns idiotas irresponsáveis ou que devemos fazer as mesmas coisas que fizemos na juventude, mas sim que devemos continuar a viver nossos sonhos, não importa em que fase da vida estamos, em vez de nos contentarmos com a mediocridade simplesmente porque não acreditamos que qualquer outra coisa seja apropriada ou esteja disponível.

Só vivemos por um tempo limitado. Por que não celebrar a jornada em vez de somente levar a vida até que ela acabe?

Ainda nos é permitido sonhar e os sonhos ainda nos são possíveis, mas à medida que seguimos a vida precisamos fazer um esforço consciente para superar nossos julgamentos e mandar para bem longe todos os medos resultantes das experiências que tivemos para levar uma vida extraordinária. Seja lá como isso funcione para nós. Precisamos nos concentrar nos aspectos positivos e não na lista de pontos negativos que reunimos ao longo do tempo; o foco é esse, a despeito do que possam jogar em nossa cara. E uma das melhores formas de se fazer isso é por meio de uma nova conexão com nossa criança interior. Eu sei que isso pode parecer idiota a ponto de ser inaceitável, mas confie em mim.

Embora os seus interesses agora provavelmente sejam diferentes dos da sua juventude, você ainda pode aprender muito com o seu jeito de lidar com a vida nos velhos tempos. Faça uma retrospectiva: naquela época, você estava totalmente em contato consigo mesmo? Em que lugar você fazia coisas apenas porque elas eram divertidas sem se preocupar com o resultado? Em que lugar você mal conseguia esperar pela manhã seguinte para colocar os seus planos em prática? Isso pode ter ocorrido quando você era criança e fingia ser um pirata, correndo pela casa com qualquer coisa que servisse como um tapa-olho, ou quando você foi eleito o Palhaço da Classe no último ano do ensino médio porque conseguiu entupir o encanamento do banheiro masculino e as aulas tiveram que ser canceladas nesse dia ou, ainda, quando aprendeu a tocar guitarra num certo dia de verão sem precisar olhar para as mãos. Quando você mais sentiu prazer em estar vivo (e se você nunca se sentiu assim, fique ligado...) e o que você pode aprender com essas experiências?

Para mim, um dos momentos mais emocionantes e plenos de propósito na minha vida foi quando me tornei cantora e guitarrista de uma banda chamada Crotch. Uso os termos "cantora", "guitarrista" e "banda" de forma bem vaga, pois na Crotch não nos preocupávamos em aprender a tocar os instrumentos ou em praticar qualquer dessas besteiras que os músicos fazem. Nós tínhamos coisas mais importantes a fazer, como falar em voz alta sobre a nossa banda e ficar nos olhando no reflexo das vitrines enquanto andávamos por aí com as guitarras penduradas nas costas.

Guitarras elétricas.

Fundei a Crotch com Paula, uma garota que trabalhava comigo, que também nunca tinha tocado numa guitarra na vida e que era tão incapaz quanto eu de abraçar seu lado feminino. Nós éramos daquele tipo de garotas que se orgulhavam da potência do nosso equipamento de som, de ter um aperto de mão firme e da nossa capacidade de beber mais do que qualquer outra pessoa no recinto.

A minha carga de testosterona vinha do tempo que passei no ensino médio esperando inutilmente a oportuna puberdade enquanto me tornava mais alta do que todo mundo ao redor, inclusive do que todos os garotos da escola. Nenhum deles nunca me convidou para sair, mas eu os fazia rir e os detonava no basquete. Então, já que não podia seduzi-los, eu simplesmente me tornei um deles.

Os problemas de Paula eram mais de natureza homicida. Ela era daquele tipo zangado visto entre mulheres altamente inteligentes que adquirem um corpo de coelhinha da Playboy aos treze anos e são forçadas a crescer nos cafundós do Sul dos Estados Unidos. Nos primeiros meses depois que começamos a banda, ela abandonou seus longos cabelos negros, pintou-os de vermelho, adotou um corte curtíssimo e cobriu os braços e as costas com tatuagens de chamas e dragões.

Ela era a durona e por isso decidimos que devia tocar baixo, ao passo que eu, desesperada por atenção, tocaria guitarra, e Stephen, meu maleável irmão caçula, tocaria bateria. "Só até encontrarmos outro baterista", eu prometi para ele enquanto tentava plugar a guitarra na parte errada do amplificador. Stephen tocava bateria desde os cinco anos e era o tipo de irmão caçula dos sonhos de qualquer irmã mais velha mandona: talentoso, infinitamente entusiasmado e com um limite elevado para a dor.

A grande tragédia da Crotch é que, por baixo de nossas zombarias e bravatas, não passávamos de duas meninas meigas que queriam muito ter um namorado. Mas nós tínhamos problemas – problemas que seriam mais bem trabalhados enquanto estivéssemos bêbadas e, às vezes, nuas no palco. Perplexas com a indiferença masculina, Paula e eu expressávamos nossa decepção compondo e cantando músicas como "Sew Me Up I've Had Enough" ("Costure-me, estou de saco cheio") e gritando ao microfone entre uma música e outra a ponto de, certa noite, alguém do público subir ao palco segurando uma cadeira para nos bater com ela.

À nossa revelia, rapidamente ganhamos fãs. Em menos de um ano também compusemos, produzimos, dirigimos e estrelamos um filme sobre a indústria fonográfica; escrevemos, dirigimos e estrelamos um clipe que foi exibido em rede nacional; gravamos um EP (que tem menos música que um LP); assinamos com a Columbia Records para produzir uma demo e até aprendemos mais uns acordes. Tudo isso ocorreu enquanto tínhamos outros empregos em tempo integral e nenhuma ideia do que estávamos fazendo. Foi incrível com I maiúsculo.

•••
É impossível parar um trem que esteja carregado de autoestima.
•••

Se um dia você já esteve totalmente em contato consigo mesmo e hoje sente dificuldade em encontrar seu caminho, repense sua atitude e quais eram suas prioridades no tempo em que você estava completamente de bem com a vida e use-as para obter a clareza e o impulso de que você precisa agora.

Eis algumas pepitas de sabedoria que recolhi daqueles dias da Crotch e que ainda considero úteis:

1. "EU SÓ QUERO VER SE..."

A vida é r-i-d-í-c-u-l-a. Isto é tão sério – não temos a menor ideia de por que estamos aqui, girando neste globo no meio do sistema solar, sabe-se lá com quem que esteja por aí. Fazer um escândalo ou exagerar o tamanho de qualquer situação é um absurdo. Faz muito mais sentido viver a vida com um senso de "por que não?" em vez de franzir a testa para tudo. Uma das melhores coisas de minha vida foi criar o meu lema: "Eu só quero ver se consigo sair dessa." Isso retira toda a pressão, acrescenta uma atitude punk rock e me faz lembrar que a vida é um jogo.

Claro, temos mais responsabilidades e pressões como adultos, mas, sério, eu garanto que há inúmeras pessoas com problemas muito maiores do que os seus que estão numa situação bem melhor porque decidiram pular de cabeça em vez de se afundar nas próprias desculpas. Use uma nova abordagem para o que você está fazendo e experimente isto: *eu só quero ver se posso começar o meu próprio negócio de sucesso; eu só quero ver se consigo sair do vermelho e*

ganhar muito mais dinheiro neste ano; eu só quero ver se consigo perder 50kg; eu só quero ver se posso vender uma de minhas pinturas por 50 mil; eu só quero ver se consigo encontrar minha alma gêmea.
Livre-se da pressão e volte para a aventura.

2. PERCA A NOÇÃO DO TEMPO

Você já fez alguma coisa e de repente percebeu que as horas passaram sem você se dar conta? O que isso provoca em você? Isso acontece no seu dia a dia com muita frequência? Quando alguma coisa o faz perder a noção do tempo, isso indica que você entrou oficialmente no Vórtice e que deseja ficar ali o máximo que puder. Então, olhe para a sua própria vida e veja como pode fazer isso acontecer.

Em primeiro lugar, mentalize as coisas que você perdeu no trabalho e na vida pessoal. Depois, pense num meio de fazer essas coisas com maior frequência. Contrate alguém (sem desculpas) para delegar as tarefas que você odeia fazer. Encontre uma pessoa capacitada que goste de fazer as coisas de que você não gosta, e assim você poderá fazer mais o que de fato aprecia. Se for necessário, faça grandes mudanças no trabalho e na vida pessoal, porque assim você terá mais tempo para fazer o de que gosta. Mentalize. Não se entregue às circunstâncias como um covarde qualquer. Você pode conduzir sua vida para onde bem entender. Então agarre-a com força e torne prioritárias as coisas que mais ama fazer.

3. SEJA SEMPRE UM INICIANTE

Uma das melhores coisas de começar uma banda sem saber tocar um instrumento é que você não está nem aí para o fato de que é uma droga de músico porque você sabe que isso é verdade. Só depois que aprende a tocar é que você começa a levar tudo a sério, tornando-se excessivamente crítico e duro consigo mesmo e deixando de se divertir. O truque é deixar o Iniciante conviver com o Especialista, em vez de fingir que não conhece o Iniciante quando ele tenta se sentar à mesa ao seu lado, junto com os seus novos amigos mais interessantes e experientes. O Iniciante pode ser um idiota, mas ele sabe como fazer uma festa, e se você não deixar ele tocar junto, corre o risco das coisas ficarem um porre. Enfim, aprimore suas habilidades, leve a atividade a sério, aprenda o que for preciso, invista em si mesmo, treine muito, caia, se levante, siga em frente; torne-se muito, muito bom no que faz, mas sem perder a capacidade de se divertir durante o processo. Até porque, qual seria o sentido de ter todo esse trabalho? Tudo que você precisa fazer é dar o melhor de si. Feito isso, a única coisa que importa é que você esteja curtindo.

4. AME A SI MESMO

E os pássaros da felicidade sempre vão cantar em coro para você.

CAPÍTULO 13

DÊ E DEIXE DAR

Uma das mais belas compensações da vida é que ninguém pode ajudar sinceramente o outro sem ajudar a si mesmo.

– Ralph Waldo Emerson; poeta americano, ensaísta, visionário, doador

Um dia, eu estava viajando de carro com minha família quando parei em frente a uma loja de conveniências e disse para minha sobrinha de cinco anos que ela podia pegar alguma besteirinha para si. Ela chegou toda prosa ao caixa, com seis caixinhas de pastilhas sabor laranja e não apenas com uma, como aconteceria normalmente.

De volta ao carro, perguntei se ela podia me dar uma caixinha – porque eu pretendia ensinar algo sobre a importância de dividir as coisas para aquela porquinha gananciosa. "Claro", ela disse, e me passou uma caixinha. Então, com uma voz tatibitate de menina de cinco anos, ela perguntou se meu irmão e minha mãe também queriam uma. Depois de entregá-las a eles, ela empilhou as três caixinhas restantes no assento ao lado, dizendo: "Quando a gente chegar em casa, essa é para o meu irmão, essa é para a minha irmã e essa é para a minha mãe." Então, sentada ali, ela sorriu, mais empolgada por distribuir as pastilhas do que por ter podido comprar todas para si mesma.

Olhei confusa para Stephen, o pai da menina e meu irmão, e ele disse entre os dentes: "Doidinha." Quando eu e ele éramos crianças, a única coisa que compartilhávamos um com o outro eram berros. Um dia, ele soltou todos os meus esquilos no quintal. Já eu roubei todos os doces de Halloween dele e os devorei um por um, sentada em cima dele e ouvindo seus gritos. Quem era aquela criaturinha santa no banco de trás e onde ela tinha aprendido aquilo?

Minha sobrinha compreendia com clareza que a doação é uma das grandes alegrias humanas e também dos gestos mais destemidos e poderosos que existem. Quando confiamos na abundância do Universo e nos permitimos doar livremente, além de elevar nossa frequência, fortalecemos nossa fé e nos sentimos muito bem. Isso nos posiciona em um fluxo e nos coloca numa situação onde podemos receber abundantemente em troca.

Quando nos apegamos ao que possuímos, por medo e por não confiar na abundância, além de trancar a energia, ficamos com receio de dividir e também aumentamos aquilo que queremos evitar, que é a falta de alguma coisa.

Habitamos um Universo onde se dá e se recebe, onde se inspira e se expira, onde se vive e se morre, onde há alegria e decepção. Cada lado depende do outro e se associa ao outro: cada ação tem uma reação igual e oposta. Então, quanto mais se dá, mais se recebe. E vice-versa.

Talvez você esteja pensando, *isso não é verdade, conheço uns filhos da mãe que só tomam e não dão absolutamente nada para ninguém, nunca*. Acontece que a energia de quem recebe é diferente da energia de quem toma com egoísmo, da mesma forma que a energia de quem sufoca é diferente da energia de quem dá. Sufocar e tomar são atos baseados no medo e na carência, ao passo que dar e receber são atos plenos de gratidão e de ceder ao fluxo da vida.

Conheço uma mulher que tem esclerose múltipla e cujo mentor recomendou que doasse vinte e nove coisas em vinte e nove dias como parte da cura. Ela se recusou a fazer isso por algum tempo, mas seu estado de saúde piorou e ela então decidiu tentar. Primeiro, ela telefonou para saber se uma amiga adoentada tinha melhorado. Depois, começou a abrir mão de algumas coisas a cada dia e, quase que instantaneamente, se viu mais alegre e animada. Por volta do décimo quarto dia, ela obteve uma melhora física significativa e um crescimento nos negócios, o que a fez começar um blog que levou dezenas de milhares de seguidores a também doarem coisas diariamente. O blog virou um livro chamado *29 Gifts*, que entrou na lista dos mais vendidos do *New York Times*.

Se você quer atrair sentimentos e coisas boas para a sua vida, irradie grandeza para todos ao seu redor. Eis algumas ótimas maneiras para entrar no fluxo de dar e receber:

1. Faça uma doação mensal para uma ou duas causas que tenham significado verdadeiro para você. Doe o tempo ou o dinheiro que puder, mas faça disso um hábito, uma parte de quem você é. Mesmo que sejam apenas uns poucos reais por mês. Cada centavo importa.

2. Dê algum objeto que você adora para alguém que adoraria recebê-lo. Se for possível, faça isso sem que essa pessoa saiba de onde veio o presente.

3. Aumente um pouco mais o valor de suas gorjetas. Pode ser R$ 1 ou R$ 10.

4. Se alguém se mostrar sarcástico em vez de descer ao mesmo nível e retribuir o sarcasmo, seja superior e retribua com amor.

5. Sorria, elogie e faça os outros rirem sempre que for possível.

6. Aceite convites que você costuma recusar por não querer ser inconveniente com a pessoa que o está convidando. Dê a essa pessoa a oportunidade de dar para você.

7. Pare e sinta como é boa a sensação de dar e receber. Aumente sua frequência e espere que outras coisas boas vão surgir em seu caminho.

8. AME A SI MESMO

E todo mundo sai ganhando.

CAPÍTULO 14

GRATIDÃO: O PORTAL PARA UMA VIDA INCRÍVEL

Quando você é grato, o medo desaparece e a abundância aparece.
— Anthony Robbins; autor, palestrante, motivador, incentivador de mudança de vida

Na minha infância, meus pais obrigavam a mim e aos meus irmãos e irmã a atender o telefone de um jeito muito formal: "Alô, aqui fala Jennifer Sincero", como se fôssemos *concierges* enquanto andávamos de triciclo e brincávamos de encher balões por baixo das nossas roupas. No outro lado da linha, os amigos de nossos pais se derramavam em elogios sobre a boa educação dos filhos dos Sincero. Isso nunca me incomodou, até o dia em que telefonei pela primeira vez para uma amiga. Quando ela atendeu, eu segurei o telefone com os olhos arregalados sem acreditar no que ouvi. *"Os seus pais sabem que você só diz 'alô' quando atende o telefone?"* Aos meus ouvidos aquilo era tão impensável quanto dizer aquele palavrão que começa com a letra F ou sentar para tomar um uísque com meus pais.

Minha surpresa se tornou horror quando percebi que aquela amiga renegada não era a única que atendia o telefone de modo tão tranquilo (na verdade, todo mundo fazia isso) e que meus pais estavam claramente fazendo uma grande piada conosco. Nossas objeções foram respondidas como de praxe: "No dia em que vocês pagarem a conta do telefone, vão poder atender do jeito que quiserem." Assim, os anos se passaram e a nossa indignação acabou diluída pelo hábito.

Não lembro exatamente quando ocorreu o motim, mas um dia todos passamos a atender o telefone como seres humanos normais. Talvez isso tenha sido na época em que eles se divorciaram, quando mamãe se viu às voltas com quatro filhos dentro de casa, nas proximidades ou na escola. Minha mãe adotou o modo de combate, e as regras do telefone foram por água abaixo.

Contudo, as boas maneiras em geral continuaram sendo exigidas firmemente, e ainda que tenhamos nos tornado uns selvagens, sempre chapados, continuamos sendo as crianças bem-educadas da família Sincero: "Pois não, policial? Muito obrigada, policial. Sim, policial, essa maconha é minha." Enfim, eu tinha as palavras "por favor" e "obrigada" arraigadas em mim tanto quanto a receita do molho de tomate italiano do meu pai ou a ideia de que matar uma pessoa não é algo legal de se fazer. Mas, de todo modo, ser educada nunca foi algo que me exigia esforço. Além do fato de que ter educação faz você se sentir uma pessoa boa, as pessoas só costumam fazer o que você quer que elas façam quando você se mostra agradável. Do contrário, elas simplesmente não fazem nada. Oi? É por isso que sempre me sinto confusa quando alguém com mais de cinco anos é mal-educado, sobretudo quando a pessoa não diz um "muito obrigado" após um gesto feito em benefício dela, não importa que tenha sido eu ou o Universo em geral a fazer essa gentileza.

Não sei se você acha o mesmo, mas, quando alguém não agradece depois de receber uma gentileza, a omissão é tão gritante que parece que essa pessoa está simplesmente pelada diante de mim. E o Universo também sente isso.

••
Você exclui coisas maravilhosas da sua vida quando não está em estado de gratidão.
••

Ter gratidão é muito mais do que ter boas maneiras, porém. Bons modos são um hábito; gratidão é um estado do *ser*. Se qualquer pessoa pode se exibir com boas maneiras, quer as tenham ou não, gratidão significa ter consciência de algo e profunda apreciação pelos muitos milagres da vida.

Pense em como você se sente quando agradece a alguém que fez algo por você. Você se sente bem por receber o que recebeu e irradia gratidão para a outra pessoa, fazendo com que ela sinta-se bem por ter lhe dado alguma coisa e por sua gratidão. Isso faz você se sentir bem em dobro e a outra pessoa também se sente assim, ou seja, ambos poderiam passar o resto da vida trocando notas de agradecimento entre si. E, justamente pelo estado de gratidão ser tão positivo, você entra em uma frequência alta e se conecta com a Energia Primordial, tornando-se mais forte e assim permitindo que outras coisas e experiências boas se manifestem em sua vida.

Se em vez de agradecido você se mostra desapontado, zangado, culpado ou distante, você se põe em uma frequência baixa e menos conectado com a Energia Primordial, colocando-se em um estado menos forte para manifestar coisas e experiências boas em sua vida.

Isso tudo é fabuloso e fantástico, mas é aqui que toda a questão da gratidão torna-se extraordinária. Há muitas maneiras para se sentir bem, elevar sua frequência e se aproximar da Energia Primordial, mas, com a gratidão, você gera uma energia positiva que retorna para você, uma vez que toda ação gera uma reação igual e oposta. Isso torna o processo de manifestação ainda mais poderoso.

É como a diferença entre ver alguém se dobrar de rir e ver alguém se dobrar de rir *por algo que você disse*. Na primeira situação geralmente você se sente tão bem que se contagia pelo riso, o que eleva sua frequência, mas, na segunda situação, além de elevar sua frequência, você também *troca energia* em frequência elevada. O riso alheio é um agradecimento da outra pessoa por algo divertido que você disse, o que torna a conexão entre ambos ainda mais forte e estreita.

Como explica Wallace Wattles no livro *A ciência de ficar rico*: "Você não pode exercer muito poder sem a gratidão, pois é a gratidão que o mantém conectado com o poder."

Sem gratidão você se torna praticamente impotente – sábias palavras, Wattles! Quando você envia ativamente a energia de gratidão, você a recebe de volta e se aproxima da Energia Primordial, elevando sua própria frequência a cada troca, até atingir a compreensão visceral de que você é feito da mesma substância da Energia Primordial e que a sua realidade se manifesta do nada infinito e do tudo infinito, seja de maneira consciente ou inconsciente. A gratidão o conecta com a verdade de que você possui o poder para manifestar o que procura, mas também com a verdade que você *é* o próprio poder. Em essência, isso significa que, quando você é grato à Energia Primordial, você também é grato a si mesmo. E isso nos traz de volta ao que existe de mais forte: o amor-próprio. Bingo!

Quanto mais você se mantiver em um estado de gratidão e se concentrar na bondade, mais irá fortalecer sua conexão com a Energia Primordial, e vai ser capaz, rapidamente e sem precisar fazer muito esforço, de manifestar aquilo que é invisível na sua realidade.

Esse é o poder onipotente da gratidão. Mas espere, tem mais! A gratidão também fortalece a sua fé.

•••
Fé é ter a audácia de acreditar naquilo que não se vê.
•••

A fé é o músculo que você usa quando decide sair de sua zona de conforto para transformar sua vida em algo praticamente irreconhecível na realidade presente. Ela sufoca o medo do desconhecido. E nos faz assumir os riscos. A fé é o estofo do "pule que a rede vai aparecer".

•••
A fé é sua melhor amiga quando você está assustado e na pior.
•••

Quando você se mantém em estado de gratidão permanente, consciente das conquistas incríveis que já obteve, isso, entre muitas outras coisas, torna mais fácil acreditar que outras delas podem surgir de onde vieram as primeiras e que ainda estão por se manifestar para você. Se você recebeu algo grandioso antes, é claro que poderá receber algo extraordinário novamente.

É dessa maneira que a gratidão fortalece a fé. E a fé intensa é uma chave importante para você transformar a sua vida.

Isso me leva ao final apoteótico da gratidão – se você quer ser um verdadeiro *rock star* nesse departamento da manifestação do desejo, junte fé e gratidão inabaláveis ao seu desejo. É nesse ponto que a verdadeira magia acontece, porque *misturar fé e gratidão é tudo que há de bom quando se trata de manifestação.*

Contudo, é preciso ser um pouco Jedi nesse aspecto, porque basicamente isso implica não só acreditar naquilo que ainda não se manifestou (ter fé), mas agradecer por esse fato. Em outras palavras, você deve agradecer aos seus amigos imaginários e pela sua vida imaginária. Pois é.

Por mais ridículo que pareça, certamente você já faz isso em algum aspecto de sua vida, de forma consciente ou inconscientemente. Um simples exemplo do que acontece comigo é o de sempre encontrar vagas em estacionamentos. Até onde consigo me lembrar, eu sempre encontro uma vaga bem em frente de qualquer lugar aonde vá. E não importa se quero estacionar em frente à casa do Papa no domingo de Páscoa. Então, se não quiser andar, pode pegar uma carona comigo.

Quando estou em busca de uma vaga para estacionar, sempre chego com a mesma atitude, com uma convicção despreocupada de que já consegui. A vaga perfeita é minha, está à minha espera e realmente me sinto feliz e agradecida por isso. Eu *acredito* de verdade nisso. Então, como sempre, alguém sai de uma vaga e a deixa livre para mim. Mas, por mais que isso ocorra com frequência, sempre fico empolgada quando acontece. Eu nunca desvalorizo esse momento, e me torno uma máquina de gratidão antes, durante e depois das minhas aventuras nos estacionamentos.

•••••••••••••••••••••••••••••••••

Sentir gratidão por aquilo que ainda não se manifestou é como informar ao Universo que você sabe que o objeto do seu desejo está à sua espera. Isso o coloca na frequência certa para recebê-lo.

•••••••••••••••••••••••••••••••••••

Se você quer mudar radicalmente de vida, fortaleça sua fé de que o Universo é abundante e benevolente, e agradeça por tudo que já aconteceu e por todo o bem que ainda chegará para você. Agradeça por ter a força para manifestar a realidade que deseja e depois pule no vazio para buscá-la.

Troque o drama do "eu não consigo ter o que quero" pela expectativa agradecida de que será agraciado por um milagre, e os milagres se tornarão cada vez mais comuns em sua vida.

Aqui vão algumas formas de praticar:

1. ISSO FOI BOM PORQUE...

Quando algo excelente ou mesmo medíocre, ruim ou irritante acontecer com você, receba o fato com a declaração "Isso foi bom porque...", preenchendo o espaço das reticências. Depois que se tornar uma prática regular, o agradecimento vai se tornar bem mais fácil para você.

"Foi bom ter furado um pneu no caminho de casa depois de pegar meus filhos na escola porque pude mostrar como eles devem lidar com situações inesperadas. E ainda sobrou tempo para brincarmos de "adivinhe o que é" enquanto esperávamos o guincho. Foi assim que descobri que minha filha estava sendo atormentada na escola."

É importante procurar maneiras de agradecer por todos os acontecimentos, até mesmo por aqueles que você preferiria responder com um "não, obrigado". Se você se concentra nos aspectos negativos das dificuldades, isso reduz a sua frequência e o deixa chateado e ressentido, o que atrai ainda mais negatividade para você, provavelmente o deixa doente e certamente irritado. Por outro lado, quando você procura maneiras de agradecer pelos acontecimentos da vida, você eleva sua frequência e acaba evoluindo e se abrindo para as lições.

Claro, às vezes é uma tarefa hercúlea, sem falar que algumas situações de vida nos golpeiam, nos imobilizam e nos fazem perguntar o que diabo foi que aconteceu. Às vezes, só depois de muitos anos (ou nem assim) é que conseguimos olhar para trás e dizer: "Quer saber? Eu precisava que aquele idiota partisse o meu coração em mil pedaços. Sou muito mais feliz com o homem com quem me casei depois."

Encontrar o lado bom e as lições das experiências é que nos faz superá-las e procurar novas. Se você quiser ficar parado no mesmo lugar e continuar apanhando das mesmas lições, seja negativo, ressentido e faça o papel de vítima. Mas, se quiser superar seus problemas e se transformar, seja grato, procure o bem e aprenda.

2. ESCREVA NOTAS DE AGRADECIMENTO

Toda noite, antes de dormir, reveja o dia e anote ou mentalize dez acontecimentos pelos quais você pode ser grato. Isso inclui qualquer coisa, tanto as flores bonitas do seu jardim quanto o fato do seu coração estar batendo após a longa visita de uma vizinha abelhuda que fez você se sentir feliz por não ter a vida dela.

Fazer uma pausa durante o dia para agradecer por todos os acontecimentos é uma ótima maneira de manter sua frequência alta. Lembre-se de tentar fazer isso durante o dia ou, no mínimo, torne-a parte de sua rotina noturna.

3. AME A SI MESMO

Agradeça por tudo que você é e por tudo que você será.

CAPÍTULO 15

PERDOAR OU PERDER

Perdoar significa abandonar qualquer esperança de um passado melhor.
– Lily Tomlin; atriz, escritora, comediante,
filósofa do absurdo

Quando foi a última vez que você se machucou fisicamente? O que fez para deter a dor? E quanto tempo esperou para tomar providências? Geralmente a dor física nos faz agir com presteza para dissipá-la porque, você sabe, aquilo dói. Mesmo se temos que sofrer ainda mais por conta de algum medicamento que arde sobre um ferimento aberto ou por levar pontos, agimos prontamente porque nos concentramos no objetivo maior: o alívio.

Mas, quando se trata de uma dor emocional, aparentemente estamos mais dispostos a fazer um jogo para saber quanta tortura podemos suportar, e nos atolamos na culpa, na vergonha, no ressentimento e na falta de autoestima, às vezes por toda a vida. Essa miséria se prolonga quando nos aferramos a sentimentos sombrios, ora xingando a sogra, ora fantasiando em humilhar o chefe falastrão e incompetente na frente de todo o escritório, ora descarregando a culpa nos outros, ora pensando nas muitas razões por que nossos oponentes estão errados e no mesmo número de razões para estarmos certos.

Quando remoemos nossos piores momentos, não os deixamos desaparecer porque cutucamos as cascas das feridas emocionais e assim impedimos a cura e a redução da dor. Não descansamos até que a outra pessoa sinta o quanto ela nos fez mal. *Se eu tiver que sofrer por toda a vida, você vai saber o quanto me enganou!* Quando nos apegamos aos ressentimentos que ocupam nossos pensamentos, desperdiçamos tempo e saímos do prumo, o que nos deixa irritados, deprimidos, fisicamente doentes e até podemos morrer. Tudo isso porque... Hum, por quê?

O show dos chafurdados na culpa, na vergonha, no ressentimento e na ausência de autoestima está sob o comando do Grande Dorminhoco, aquele que o enquadra e exige que você seja certinho e notado. O eu superior, por outro lado, não está nem aí para o que as outras pessoas pensam ou fazem. Isso porque o seu eu superior é loucamente apaixonado por você e isso é tudo que importa. Seja lá o que tiver acontecido, aconteceu. Remoer não muda o fato, apenas aviva os sentimentos negativos do passado, torna-o um prisioneiro da dor e reduz o grau da sua frequência.

Você percorre a estrada da liberdade quando decide perdoar e permite que os sentimentos negativos se dissipem.

Perdoar é cuidar de si mesmo, não da pessoa que você precisa perdoar. Trata-se de colocar o desejo de se sentir bem antes do desejo de estar certo. Trata-se de assumir a responsabilidade por sua própria felicidade em vez de fingir que ela está nas mãos de outros. O que importa é assumir o seu próprio poder e eliminar a raiva, o ressentimento e a dor.

Guardar ressentimento é como se envenenar e esperar que o inimigo morra.

Se você está tendo problemas com alguém de quem gosta, explique como se sente sem pôr a culpa em ninguém e, *a despeito do resultado*, perdoe. Essa conversa pode causar maior aproximação ou simplesmente fazê-lo perceber que você não quer mais a companhia dessa pessoa. De um jeito ou de outro, se você quer ser livre, você precisa desapegar.

Se você está magoado ou ressentido com algum chato de quem não gosta tanto, liberte-se e desencane, nada de ficar ruminando ou elaborando vinganças, como enviar uma caixa de ratos pelo correio. Por que se importar se o outro sabe ou não sabe que ele é um canalha – que bem isso vai fazer a você? E sem essa de fingir que você quer que ele se torne uma pessoa melhor, porque você já não dá a mínima, mesmo. O que você quer é retribuição ou pedido de desculpas ou um reconhecimento de que está certo. Pois deixe isso de lado. Desapegue. Quanto mais você se agarrar aos pensamentos de vingança, mais tempo eles ficarão na sua consciência, estragando sua vida. E não caia na conversa de que, quando se perdoa alguém, você está deixando a pessoa se safar. Na realidade, ao perdoar, quem está se safando é você mesmo.

•••

Perdoar não significa ser bom para o outro, mas ser bom para si mesmo.

•••

Ok, beleza, entendido. Agora, como é que você pode deixar tudo de lado? Como se faz para perdoar aquele filho da mãe idiota?

1. ENCONTRE A COMPAIXÃO

Sentir compaixão por si mesmo ou por alguém que cometeu algo terrível é como retirar uma bala do braço: no início, você esperneia, grita e odeia a sensação, mas, no fim, é a única maneira de iniciar a cura verdadeira.

Um dos melhores truques para fazer isso é imaginar a pessoa por quem você tem ressentimento como uma criança. Pense nessa pessoinha agindo sem medo, fazendo o melhor que pode para se proteger e tentando lidar com seu próprio sofrimento da única forma que sabe. As pessoas agem mal porque estão sofrendo, estão confusas ou pelas duas razões. Quando você entende isso e imagina o outro que deseja decapitar como uma criança doce e inocente com os grandes olhos de um filhote de cachorro, você encontra compaixão por essa pessoa, e essa é a chave para o perdão. O mesmo vale para todas as coisas que você precisa perdoar em si mesmo. Afinal, você também é só um coelhinho tentando resolver as coisas. Sinta compaixão pelo seu eu pequeno, doce e fofinho, e deixe rolar.

2. APAGUE A OUTRA PESSOA DA EQUAÇÃO

Imagine que você tem duas funcionárias que faltaram ao trabalho no mesmo dia, deixando-o sozinho para lidar com as tarefas numa manhã antes de uma grande apresentação. Uma delas não apareceu porque está de ressaca e não se aguenta em pé, enquanto a outra recebeu a notícia de que a mãe faleceu e teve que correr para o aeroporto, esquecendo-se de telefonar para você em meio ao nevoeiro emocional em que se encontra.

O resultado é exatamente o mesmo – elas o deixaram na mão e você teve que fazer todo o trabalho – mas há duas maneiras diferentes de reagir. Ou seja... você tem uma escolha! Uma delas envolve arrebentar uma artéria de tanta raiva; a outra é abrir o seu coração.

Outra opção é se imaginar curtindo o seu barco novinho em folha enquanto outro barco sem tripulante se choca contra o seu e o avaria. Sem ninguém no outro barco, você não tem com quem esbravejar e pode lidar com a situação de modo mais sereno e interrogativo. Mas, se algum idiota está no outro barco e se chocou contra o seu só porque estava lendo uma mensagem de texto, a forma de lidar com o fato é perdendo a cabeça e xingando o sujeito de nomes diversos relacionados à genitália. De novo, exatamente a mesma situação – agora, seu barco está avariado – e há duas maneiras diferentes de reagir.

Quando alguém o faz passar por uma situação ruim, tire essa pessoa da equação para poder se abrir a um tipo de reação (e de vida) mais agradável e produtiva. Porque quem importa aqui é você, não o outro. Quando não há ninguém com quem se enraivecer, dificilmente você se enraivece. No lugar da raiva, o incidente gera um questionamento. Por que isso aconteceu? Como me envolvi? Por que atraí isso para mim? Como posso crescer com isso? Como posso encontrar compaixão pelos envolvidos? Quando nos consumimos pelo ressentimento, as lições que poderíamos aprender são barradas por nossos berros e gritos internos e externos. Faça um favor a você utilizando situações e pessoas irritantes como oportunidades de crescimento, não de dor.

3. DECIDA QUE É MELHOR SER FELIZ DO QUE TER RAZÃO

Às vezes, o caminho para a liberdade passa pela decisão de que é melhor ser feliz do que ter razão. Claro, sua amiga idiota deveria ter pago o bilhete de estacionamento que ela usou quando pegou seu carro emprestado; claro, seu irmão não deveria ter tosado seu cão quando estava cuidando da sua casa. Mas se eles não veem as coisas dessa maneira, em vez de ruminar isso por dias a fio, não seria melhor deixar tudo de lado? Será que vale fazer isso com todos esses sentimentos desagradáveis apenas para sentir que você tem razão? Pense com seus botões: "O que preciso fazer ou não fazer, pensar ou não pensar nesse momento para ser feliz?" Se a resposta for "deixe esse idiota pensar que ele está certo", então que assim seja.

4. OLHE DE TODOS OS ÂNGULOS

É importante lembrar que todos nós criamos nossa própria ilusão e que não fazemos ideia do que os outros fazem ou de onde vieram. Então, se de repente você acha que algo não está certo, na ilusão do outro pode não haver problema nenhum, e, na opinião deles, *é o seu jeito* que está errado. Observe as coisas por outra perspectiva, livre-se da opressão do "é do meu jeito ou nada feito!". Deixe o ar entrar, e você pode se surpreender com a rapidez com que os ressentimentos vão sair voando pela janela.

Um exemplo: você envia uma mensagem de texto para uma amiga próxima, convidando-a para jantar em sua casa. Ela responde, dizendo que não poderá aceitar o convite porque está fazendo aniversário. Você envia outra mensagem com um pedido de desculpas e uma carinha triste. E não recebe resposta. Você então envia uma nova mensagem, dessa vez com um "feliz aniversário!". Novamente, a resposta não vem, e mil coisas passam pela sua cabeça. Você se sente mal por ferir os sentimentos da amiga, se pergunta que tipo de adulto idiota ainda se importa com o próprio aniversário e pensa no quanto teria que gastar para dar um presente para ela e atenuar a própria culpa. Enquanto isso, a amiga deixou o telefone cair por acidente na pia do banheiro depois de responder à sua última mensagem.

Ao reagir de modo questionador e não passivo, você recebe um bônus duplo: a oportunidade de perdoar com mais facilidade (porque se dá conta de que a questão é com você, não com os outros) e o grande dom de poder entender alguns dos seus traços pessoais e nada especiais para crescer e aprender com eles. (Veja muito mais sobre isso no Capítulo 21, Milhões de espelhos.)

No seu brilhante livro (sério, procure-o!) *Ame a realidade: quatro perguntas que podem mudar sua vida*, Byron Katie diz: "Nós não nos prendemos a pessoas ou coisas e sim a conceitos ainda não investigados que em dado momento acreditamos serem verdadeiros." No cenário anterior, por exemplo, em vez de se prender à "verdade" de que a amiga não respondeu às suas mensagens de texto porque se aborreceu, você precisa apenas se perguntar: "Por que estou surtando por algo que nem sei se é verdadeiro?" ou "Como eu iria me sentir se não percebesse que minha amiga se aborreceu comigo?" Você estaria literalmente a uma pergunta de distância de sentir-se feliz em uma situação que, de outro modo, seria desagradável.

5. REAJA

Fique sozinho em algum lugar distante de outras pessoas e esmurre um travesseiro, uma almofada ou algum outro objeto macio que não o machuque nem arrebente o seu punho. Grite a plenos pulmões que a outra pessoa é um filho da mãe egoísta e xingue até ficar exausto ou até alguém chamar a polícia. Apague essa pessoa da sua existência, totalmente, completamente, e desencane.

6. LEMBRE-SE DE QUE VOCÊ NÃO VAI SE LEMBRAR DISSO

Tente pensar numa pessoa que o deixou surtado e totalmente irritado há três anos. Conseguiu se lembrar de alguém? Caso consiga, será que você poderia lidar com a situação agora? Seja lá quem for que você precise perdoar neste momento, o mais provável é que, daqui a algum tempo, tudo não passe de uma coisinha à toa (dependendo da gravidade da situação, é claro). Então, por que fazer um dramalhão se um dia você vai esquecer tudo isso? Encare a questão como um não acontecimento futuro e comece já a perdoar e a esquecer.

Quando se trata de perdão, você não tem muito trabalho a FAZER. É como parar de fumar, dá menos trabalho do que o ato de fumar propriamente dito. Você não precisa sair para comprar cigarros, nem precisa abrir o maço, achar um isqueiro e um cinzeiro. Tudo que é preciso é parar de fumar. Todo o trabalho é se livrar do apego que você mesmo criou ao cigarro.

O mesmo acontece com o perdão. Você só precisa se livrar do seu apego a uma pessoa ou a uma crença.

7. DEIXE PRA LÁ

Depois de realmente perdoar alguém, recomece do zero. Quase sempre julgamos as outras pessoas e, a despeito do que elas possam fazer, as enxergamos pela lente de tais julgamentos. Isso significa que estamos apenas à espera de que nos sacaneiem outra vez. Então, ainda estamos no estágio do perdão, fingindo que está tudo bem, porém ainda cultivando algum ressentimento. Livre-se de todas as expectativas, deixe todo mundo sair bem da situação, trate as outras pessoas como uma eterna tela em branco. Espere apenas o melhor delas, não importa o que tenham feito no passado, e talvez você se surpreenda. Se você se concentra em algo, você amplia essa coisa ainda mais. Portanto, se continuar esperando que alguém o irrite, esse alguém não largará do seu pé. Concentre-se nos aspectos positivos dos outros e incentive-os a agir bem, caso queira ampliar esse tipo de coisa.

8. AME A SI MESMO

Você merece.

CAPÍTULO 16

LARGUE O OSSO, WILMA

Você não rema contra a corrente, você rema com ela.
E, se você fica bom nisso, você joga fora os remos.

– Kris Kristofferson; cantor, compositor, ator,
acadêmico de Rhodes, um cara mais velho,
porém bem gato

Muitos anos atrás fiz uma viagem à Índia que mudou minha vida. Se você ainda não teve essa oportunidade, saiba que a Índia é uma explosão de vida, um borrão fervilhante de cores que vibram, de carros buzinando, de vacas errantes, de trens superlotados, de um sem-fim de favelas, de palácios ornamentados, de templos antigos e de incensos com cheiros adocicados. É um país literalmente entupido de gente a conversar, cantar e a se aglomerar em volta enquanto você batalha por um espaço dentro de um trem lotado. Suas únicas opções são seguir o fluxo e se preparar para conhecer o vizinho ou desenvolver um tremendo tumor por conta do estresse. O que me causou maior espanto foi perceber que quase todos optavam pela primeira escolha.

Na Índia, as pessoas o amparam dentro de um ônibus quando você cai no sono ao lado delas, abaixam o vidro da janela para conversar com você em pleno engarrafamento, sabem sem pestanejar se você não é indiano, o ajudam quando você está perdido, insistem para que você apareça nas fotos de família (deles) em frente a monumentos históricos e, quando o convidam para o chá, arrotam, soltam puns e riem na sua cara – é totalmente irritante. E gentil. Além do mais, eles o fazem pensar que sabem de algo importante de que você se esqueceu há muito tempo (suspeito que a maioria do mundo também se esqueceu). Ninguém me obrigou a visitar um *ashram*, nem a pintar um ponto vermelho na testa ou a participar das inúmeras opções espirituais oferecidas pelo país – quem precisa disso? Mas acho que você pode aprender praticamente tudo que precisa saber sobre a espiritualidade e a vida quando faz uma viagem de doze horas de ônibus pela Índia durante a temporada de casamentos.

Comprei a passagem do ônibus Super Deluxe Express, de Delhi até Agra, onde fica o Taj Mahal, ciente de que estava pagando sábias 400 rupias extras pelo luxo de uma viagem de cinco horas sem paradas, ao contrário das dez horas e muitas paradas do ônibus comum. Eu estava exausta por ter passado três dias sem dormir durante um festival de camelos no deserto, de modo que o pensamento de me abrigar no Super Deluxe e dormir durante o trajeto até Delhi me soou muito bem. Mas, em vez disso, sentou-se ao meu lado o Sr. Simpatia, um homem de meia-idade que falava três palavras de inglês e que não parava de falar comigo, mesmo quando eu pensava que estava sendo bastante convincente em fingir que estava dormindo ou sendo mais convincente ainda em não fazer a mínima ideia do que ele dizia.

O ônibus saiu com uma hora de atraso devido a uma tremenda confusão e porque estava superlotado, e levou quase duas horas para sair da cidade porque estávamos em novembro, mês de pico dos casamentos no país. Os casamentos na Índia tradicionalmente requerem uma cerimônia que se prolonga por dias, estende-se por quilômetros e recebe todos aqueles que são pegos em meio a um fogo cruzado que inclui um desfile completo pelas ruas com direito a cavalos, banda e fogos de artifício, um carro com um alto-falante tocando música indiana no último volume, anúncios pomposos do casamento e um bando de sujeitos que carrega na cabeça o que parece ser uma mesa de lâmpadas. O ônibus ficava preso no trânsito causado pelas comemorações de casamento praticamente a cada dez minutos e, sempre que parava, os passageiros saltavam para participar da festa.

Finalmente, saímos da cidade e seguimos em frente, com paradas para alguém entrar ou sair do ônibus (no meio do nada), ou para beber um pouco de chá, ou para fumar um cigarro, ou para bater um papo, ou para acender uma fogueira em alguma vala no mato, ou para amarrar gigantescos sacos de estopa entupidos de um negócio grande e bulboso no teto do ônibus. A certa altura, o ônibus mal chegou a parar e entrou um sujeito que estava aguardando em algum ponto da estrada, no escuro. Ele se sentou mais à frente, bem ao lado do meu assento, e imediatamente começou a falar aos gritos em hindi. Eu saí de fininho na tentativa de encontrar outro assento o mais longe possível dele, enquanto os outros passageiros aplaudiam, cantavam ou se mantinham sentados em silêncio. Juntei-me ao grupo de pessoas sentadas em uns banquinhos instáveis ao redor do motorista, que estava ao volante no seu "posto" atrás de uma parede de vidro. Os que estavam acotovelados perto dele abriram espaço para mim e de repente senti como se estivesse assistindo a um filme de ação em uma tela do tamanho do para-brisa de um ônibus gigante. O ônibus seguiu pelas estreitas ruas de terra de pequenas aldeias ao som de um rádio que tocava músicas ao estilo de Bollywood, enquanto pessoas, cabras e macacos saltavam para fora do caminho. Ele só reduzia a marcha para as todo-poderosas vacas sagradas. Então, de repente, em uma pequena aldeia perdida no mapa, o motorista parou o ônibus mais uma vez. Será que ele iria tomar mais um *chai*? Visitar um amigo? Fazer xixi? Ele queria fazer um passeio de uma hora enquanto os passageiros esperam sentados? O motorista acenou para que eu o seguisse e saiu do ônibus também acompanhado por todos os outros passageiros. O que aconteceu é que aquele homem que havia entrado e começado a berrar era uma espécie de pessoa sagrada que apenas estava aquecendo o público para um passeio nos templos daquela pequena e linda aldeia chamada Vrindavan. Foi aí que aprendi que aquela aldeia era o lugar onde Krishna conheceu sua esposa Radha e onde depois construíram centenas de templos em honra do casal.

Durante as duas horas seguintes, eu perambulei por entre inúmeros templos enquanto jogava flores nos santuários, apertava mãos, dançava ao redor de estátuas de Krishna, cantava solenemente, orava e batia palmas, pensando comigo como é que os nova-iorquinos nervosinhos que viajavam no expresso de Nova York a Washington DC reagiriam a uma situação como aquela. Mas, embora nenhum passageiro estivesse esperando aquela pausa na viagem, ninguém reclamou, apesar de que o tempo que passamos fora da estrada teria sido o suficiente para chegarmos a Delhi – e ainda teríamos que passar umas boas 5 horas na estrada. O que aconteceu foi o oposto: todos agradeceram, deram gorjetas para o santo homem e passaram o resto do trajeto conversando alegremente entre si. Depois, fizemos uma parada para jantar em um restaurante de beira de estrada e mais outra parada para o xixi, até que às 3h eu acordei a família que me hospedaria em Delhi. É claro que eles reagiram como se estivéssemos no meio da tarde e insistiram em compartilhar uma xícara de chá comigo.

Eis o que aprendi na Índia sobre alcançar a Matriz:

- Fale com estranhos, porque neste planeta todos formamos uma família.

- Espere, e desfrute, o inesperado.

- Encontre o humor.

- Entre na festa.

- Viva o momento.

- O tempo que você passa se divertindo jamais é um desperdício.

- Compartilhe o seu espaço.

- Largue o osso, Wilma.

AME A SI MESMO

E a vida se torna uma festa.

PARTE 4

∞

Como obter o seu bacharelado com rapidez

CAPÍTULO 17

FICA MUITO MAIS FÁCIL QUANDO SE DESCOBRE QUE NÃO É DIFÍCIL

A realidade é mera ilusão, embora muito persistente.
— Albert Einstein, cientista, criador de maravilhas

Certa manhã eu estava lendo o jornal em casa, na ensolarada Califórnia, com as portas escancaradas e o aparelho de som ligado, quando subitamente um pássaro entrou voando pela sala de estar. Ele se debateu como um louco em direção às lâmpadas e plantas, espalhando folhas, penas, cocô e pânico por todos os lados.

Na tentativa de escapar, ele se chocou contra a janela enquanto eu o perseguia com uma sandália de dedo na mão, tentando guiá-lo de volta à porta aberta. Foi horrível de assistir – o pobrezinho estava totalmente exausto, com os olhos arregalados e o coraçãozinho prestes a explodir de medo enquanto se atirava repetidamente a toda velocidade contra a vidraça.

Finalmente, consegui guiá-lo até a liberdade do lado de fora e depois passei alguns minutos acalmando o meu próprio coração de passarinho enquanto revivia a cena do acidente. Imaginei a confusão e frustração do pobre pássaro: "Estou vendo o céu! Eu sei que posso chegar lá se bater as asas com força!"

Isso me fez pensar no jeito como muitos de nós vivemos nossas vidas. Vislumbramos um objetivo e quase nos matamos na tentativa de atingi-lo de um modo que não dá certo. No entanto, se parássemos quietos por um ou dois minutos, observando as coisas de outra maneira, perceberíamos que uma simpática senhora de roupão do outro lado da sala abriu a porta que leva ao nosso objetivo. Assim, teríamos apenas de simplesmente atravessar a porta.

Quanto drama criamos para nós mesmos!

Ficamos tão profundamente enredados em nossas próprias histórias – *não tenho dinheiro, não sou bom o bastante, não posso largar meu emprego, sou preguiçoso, meu cabelo é feio* – que levamos a vida cabisbaixos, agarrados a crenças falsas como se fossem botes salva-vidas, tornando-nos incapazes de avistar o infinito mar de possibilidades e oportunidades que aparecem a cada momento.

Você já caminhou por alguma rua por onde tinha passado um milhão de vezes e de repente reparou em uma casa, uma árvore, uma caixa de correio ou em qualquer outra coisa visível que nunca tinha notado? Ou subitamente se deu conta de qual é a cor dos olhos de um conhecido de muitos anos? Já olhou para sua mãe e pensou "eu já estive dentro dessa mulher"? Enfim, nada disso apareceu repentinamente, essas coisas estavam ali o tempo todo, você só não as tinha visto antes porque estava concentrado em outra coisa.

Eis um bom exercício: agora, neste momento, onde quer que esteja, olhe ao redor e conte o número de coisas vermelhas à vista. Faça isso durante um minuto. E agora olhe de novo para esta página e, sem tirar os olhos daqui, tente se lembrar de todas as coisas amarelas que estão ao seu redor. Deve haver um monte de coisas amarelas, mas você não as viu porque estava à procura da cor vermelha.

•••

Aquilo em que você se concentra se torna sua realidade.

•••

Isso é apenas um exemplo de que não vemos aquilo que poderíamos *ver*. O mesmo acontece com um sem-fim de emoções, pensamentos, crenças, interpretações, sons, sonhos, oportunidades, cheiros, pontos de vista, maneiras de se sentir bem, respostas e não respostas, coisas a dizer e maneiras de ajudar. SÓ QUE, justamente porque estamos tão comprometidos com nossos hábitos e com as histórias que justificam o que somos e como é a nossa realidade, só conseguimos enxergar superficialmente as coisas que estão disponíveis para nós a todo momento. Assim deixamos de perceber as inúmeras e impressionantes versões da realidade que nos rodeiam como tímidos adolescentes num baile, encostados à parede enquanto esperam que os tiremos para dançar.

Como disse o muito eloquente poeta William Blake: "Se as portas da percepção estivessem abertas, tudo apareceria para nós tal como é, infinito."

Então... por que criar alguma coisa que não seja totalmente incrível? Digo, é só *da sua vida* que estamos falando aqui. Se você optar por superar todas as racionalizações de que o seu desejo por dinheiro é ruim, de que sua identidade é de alguém que tem medo de intimidade e deixar para trás seu apego a inúmeras outras desculpas aparentemente sérias e reais – mas que, na verdade, são até fofinhas, porém ridículas –, você poderá literalmente criar a realidade que bem entender.

Cada vez que me impressiono com o conjunto criativo de novas desculpas que inventei ou que desejo organizar uma festa para celebrar meu nível de autopiedade, lembro-me de Ray Charles. Não costumo ouvir suas músicas, mas sempre penso nele quando preciso de um bom empurrão. Além de ser pobre e cego, Ray Charles tornou-se órfão aos quinze anos e cresceu em uma parte da cidade onde viviam apenas negros, isso quando a escravidão ainda não havia se tornado uma memória distante. Mesmo assim, ele se tornou um dos músicos norte-americanos mais influentes e bem-sucedidos de todos os tempos, ou seja, ele não perdeu tempo criando desculpas.

Seja qual for a desculpa que tento usar contra Ray Charles, ela logo perde a força e vira um simples "bela tentativa". Daí eu me vejo forçada a olhar para a minha vida e minhas desculpas sob uma nova perspectiva. *Sério? Você vai ficar aí parada por causa disso?*

Tudo de que você precisa é desapegar-se das coisas que o aprisionam, que não servem para nada, e manifestar a realidade que você deseja. A vida é uma ilusão produzida por sua percepção que poderá ser alterada no momento em que você decidir alterá-la.

••
Nossas experiências neste planeta são determinadas pelo modo como percebemos nossa realidade.
••

Claro, talvez isso não seja tão fácil assim. Se fosse simples, por que eu teria desperdiçado tanto tempo batendo a cabeça contra a parede de vidro do desdém que eu mesmo criei?

Mas antes de ficar de mau humor por conta disso lembre-se: todos os tropeções nas realidades nas quais fingimos estar aprisionados são muito valiosos porque nos permitem crescer, aprender e evoluir – mares revoltos formam melhores marinheiros. Contudo, é você quem escolhe quanto tempo quer ficar na escola e repetir a mesma matéria várias e várias vezes. O seu capelo e a sua beca de formatura já estão lavados, passados e à sua espera; tudo que você tem a fazer é desapegar-se de sua história presente e reescrever uma nova história mais adequada para quem você realmente é.

Se você quiser participar da festa e mudar de perspectiva, faça o que digo neste livro. (FAÇA de verdade, não embrome. E, enquanto isso, acredite no que está fazendo.) Estude as fontes sugeridas na última parte deste livro e no meu *site*. Comprometa-se a se libertar do apego a pensamentos e experiências de baixa frequência. Pode confiar: o Universo o ama. Dê um chute na cara do medo e corajosamente se jogue de cabeça rumo ao desconhecido.

Além disso, faça o seguinte:

1. TOME CONSCIÊNCIA DE SUAS HISTÓRIAS

Nós as chamamos de "histórias" porque não passam disso. Elas não são a verdade. E podem ser reescritas. Você é autor/autora de sua própria vida – não seus pais, nem a sociedade, nem seu parceiro/parceira, nem seus amigos e nem os valentões que o chamavam de Gordazilla no ensino fundamental – e quanto mais cedo você decidir escrever um roteiro melhor para si, mais cedo passará a viver uma vida extraordinária.

Antes de abrir mão de suas histórias, deixe bem claro o que elas realmente são. Ouça o que você diz e o que pensa sobre elas e comece a se libertar de suas próprias mentiras. Já estamos tão acostumados a nos identificar com o que repetimos o tempo todo para nós mesmos que nem sequer percebemos se esses fatos existem ou que nem são verdadeiros. E ainda assim lutamos até a morte para defender essas inverdades!

Preste atenção especificamente em frases que se iniciam assim:

Eu sempre...

Eu nunca...

Eu não posso...

Eu devia...

Eu sou péssimo em...

Eu gostaria...

Eu quero... (em oposição a *eu farei* e *eu sou*)...

Eu não tenho...

Um dia...

Estou tentando...

Jane, a Advogada Desajeitada, diz que vai continuar no seu trabalho horrível em um prestigiado escritório porque nunca vai encontrar outro lugar onde se sinta e ganhe bem. *Sério? É por isso que ninguém, em nenhum lugar da Terra, ama o que faz e ainda ganha mais do que você, Jane?*

Sally, a Solitária, sempre diz que não consegue encontrar um bom homem solteiro porque não sobrou nenhum no mundo. *Sério, Sally? Todos os caras solteiros bacanas foram caçados e mortos; então não importa quantos encontros você marque ou quantas vezes você põe um salto alto sexy e fica andando para lá e para cá em lojas de materiais de construção, porque você nunca vai topar com um homem desses? Aquele sujeito maravilhoso que sua amiga Deb acabou de conhecer é o único sobrevivente do genocídio dos bons rapazes?*

Joe Pindaíba, que é *personal trainer*, sempre fala que não consegue ganhar dinheiro e que já não existem mais clientes que paguem bem. *É mesmo, Joe? Ninguém? Em lugar nenhum? Então, por que outros treinadores têm mais clientes de alto padrão do que eles dão conta? E por que alguns até criaram bebidas energéticas e equipamentos para malhar e estão ganhando rios de dinheiro com suas próprias marcas?*

Outra boa maneira de se flagrar em alguma história é observar as áreas de sua vida que não estão indo bem. Se você está sempre irritado, talvez sua história seja "ninguém me entende". Se está sempre acima do peso, talvez a história seja "não tenho autodisciplina". Se você não foi convidado para a ceia de Natal porque não deixou ninguém falar nas três últimas reuniões de família, talvez sua história seja "ninguém presta atenção em mim".

Lembre-se do que disse Wallace Wattles: *Pensar no que você deseja pensar é pensar a verdade, apesar das aparências.* Em vez de se fingir prisioneiro dessas realidades capengas, use o poder do pensamento para mudar de atitude e de vida.

Comece a prestar atenção: quais são as histórias de autossabotagem de que você mais gosta? O que você costuma pensar ou falar de si mesmo que o tornou quem você é (ou melhor, quem você pensa que é)? Busque agora mesmo o que você tem repetido por aí sobre si mesmo para que possa reescrever suas histórias e criar o tipo de vida que ama.

2. TENHA CONSCIÊNCIA DO QUE ESTÁ GANHANDO COM SUAS HISTÓRIAS

Quase nunca fazemos nada que não nos beneficie de alguma forma, seja de modo saudável ou doentio. Se você está perpetuando alguma coisa sombria em sua vida por conta de alguma história idiota, existe algum aspecto disso que definitivamente você precisa encarar.

Digamos, por exemplo, que sua história seja de que você é deprimida. Mesmo que isso seja algo terrível, quando se está nesse tipo de situação, você não precisa trabalhar, nem lavar roupa nem ir para a academia. Esse tipo de estado também é bastante familiar, acolhedor e confortável. E desperta atenção para você. Os outros a visitam para saber como você está e, às vezes, até levam comida. Isso vira um tópico de conversa. A depressão lhe permite não fazer muito esforço, seguir em frente e nem enfrentar um possível fracasso. E você ainda pode beber cerveja no café da manhã.

Digamos que sua história seja de que você não consegue ganhar dinheiro. Sem dinheiro, você passa a ter razão. Você passa a ser vítima, torna-se dependente de outras pessoas e recebe atenção. Outras pessoas se oferecem para pagar suas contas, de modo que você não precisa assumir a responsabilidade. Você começa a desistir antes mesmo de começar e já evita um possível fracasso. Se as coisas em sua vida estão muito abaixo da escala de mediocridade, você começa a culpar os outros e as circunstâncias em vez de correr riscos para mudar a situação – porque você não pode se dar ao luxo de se arriscar.

Digamos que sua história seja a de ser péssima em relacionamentos. Você tem sua liberdade. Você não precisa se comprometer e pode continuar olhando a grama mais verde do vizinho. Você não precisa correr o risco de se machucar porque é vulnerável. Você começa a se queixar de que continua solteira e obtém simpatia. Você não precisa abrir espaço para ninguém na cama, nunca tem que se comprometer e nem se depilar, a não ser que seja verão.

Mesmo sem nos darmos conta, fazemos das vantagens de perpetuar nossas histórias coisas mais importantes do que a obtenção daquilo que desejamos porque é um território familiar, uma zona de conforto que morremos de medo de abandonar. Se desde crianças acreditamos que somos deprimidos ou vítimas, seja lá o que for, como adultos nós acabamos acreditando que realmente *somos* isso para continuar colhendo "as recompensas". Foi assim que sobrevivemos quando crianças, mas isso não nos serve mais, de modo que precisamos nos livrar desse tipo de comportamento ou continuaremos criando os mesmos padrões.

Digamos, por exemplo, que você cresceu com um pai alcoólatra e violento e que sua maneira de se proteger para não ser o alvo da ira dele era nunca falar, nunca deixar transparecer seus desejos. Corte de cena: agora você é um adulto que nunca fala sua verdade ou que nunca se impõe. Você ainda colhe falsas recompensas, toma seus cuidados, sem se arriscar a se machucar ou a protestar, mas esse comportamento está se voltando contra você porque, ao se omitir e não assumir uma posição própria, você vive uma vida que, a cada manhã, só o faz ter vontade de rolar na cama e voltar a dormir em vez de se levantar e encarar o dia.

Só depois de identificar os falsos benefícios que você colhe de suas histórias guardadas é que você poderá começar o processo de desapegar-se delas e substituí-las por novas histórias cheias de força e adequadas ao adulto que você é.

3. LIVRE-SE DE SUAS HISTÓRIAS

Só depois de conhecer o rosto da fera é que você pode matá-la. Pegue então sua lista de "eu não posso", "eu devia", "eu nunca" e afins e registre o fluxo de sua consciência em um diário. (Veja exemplo abaixo.) Sinta no seu próprio corpo o que você está recebendo dessas velhas crenças limitantes, pensando, por exemplo: "Sinto-me especial, sinto-me seguro, posso viver com meus pais e nunca arrumar um emprego" etc. Faça uma lista dessas falsas recompensas. Faça um esforço e passe tudo para o diário. Depois, sinta a atenção, sinta-se especial, confortável, seguro ou qualquer outro sentimento e seja bem claro a respeito de tudo. Pegue-se em flagrante e permita-se sentir completamente.

Agora, encare a lista de suas falsas recompensas com realismo: pequenas partes de você assustadas em ação. Agradeça pela proteção e companhia que essas falsas recompensas lhe deram, mas diga a si mesmo que é hora de terminar isso.

Depois, substitua as falsas recompensas pelos sentimentos de alegria, poder e empolgação que definem aquilo que você está se tornando.

Imagine-se como uma criança saindo do seu próprio corpo enquanto sua versão adulta e forte assume o lugar. Inspire o adulto; expire a criança e as velhas histórias. É como tomar as chaves de uma Ferrari das mãos do seu eu de sete anos, o menino que dirigiu toda a sua vida até este momento e que quase o matou. Enxergue-se como um adulto tomando seu lugar ao volante.

Continue visualizando (ou escrevendo) qual é a sensação de ter a sua versão adulta substituindo as antigas histórias da sua infância. Sinta isso. Anime-se. E depois tome a decisão de mudar e agir positivamente para conquistar seus objetivos.

Digamos, por exemplo, que a solitária Sally enfim chegou ao seu limite e pôde se ver como realmente é, que finalmente enfrentou seus problemas com relacionamentos. Ela começaria esclarecendo suas próprias histórias:

> Eu não consigo encontrar um homem porque não sobrou nenhum que preste.
>
> Eu não sei flertar.
>
> Eu nunca sei o que dizer aos homens.
>
> Eu não sou atraente para os homens. Para os bons, pelo menos.
>
> Eu espanto os homens.
>
> Eu não confio nos homens.
>
> Eu não acredito que realmente haja alguém no mundo para mim.

Com a lista em mãos (que, aliás, poderia se estender por páginas, mas como eu quero sair de casa hoje ficaremos apenas com os exemplos citados), Sally pode registrar em seu diário as falsas recompensas que está recebendo do fluxo de sua consciência. Fluxo de consciência significa deixar fluir, sem editar e sem pensar demais, apenas escrever. Sally, por exemplo, poderia relatar no diário algo assim:

Ao dizer que não sobraram homens bons no mundo, não preciso assumir a responsabilidade por não encontrá-los. Sinto-me uma vítima na certeza de que continuarei solteira. Tenho a prova de que os homens não prestam, porque nunca conheci nenhum que fosse legal. A dor de me sentir desvalorizada e de desconfiar dos homens prova a razão pela qual estou solteira. Sinto que sei o que faço e que estou no controle porque não deixo ninguém se aproximar de mim. Sinto-me livre. Sinto-me segura. Sinto-me especial porque chamo a atenção por quebrar as regras.

De novo, o relato poderia continuar por páginas e páginas, mas você já pegou a ideia.

Só depois de registrar suas falsas recompensas na página é que Sally poderá digeri-las, entendê-las e agradecer pela proteção que recebeu delas (não vamos transformar isso em um exercício de autoaversão, por favor), liberando-as e substituindo-as por histórias novas e fortes. Ela literalmente poderá substituir cada uma delas por novas verdades como:

Ao dizer que não sobraram homens bons no mundo, não preciso assumir a responsabilidade por não encontrá-los.

Que passa a ser:

O mundo está repleto de caras incríveis e amorosos, e estou animada por ser plenamente capaz de encontrar um homem bom para mim.

Sinto-me uma vítima na certeza de que continuarei solteira.

Que se transforma em:

Eu sou forte e controlo minha vida. Eu escolho amar e ser amada.

Tenho a prova de que os homens não prestam, porque nunca conheci nenhum que fosse legal.

Que passa a ser:

Amo os homens, confio neles e sinto-me feliz porque estou com um cara incrível que me faz perder o chão de tanta felicidade.

Essas novas histórias se tornam as novas verdades de Sally e, para que elas se tornem consistentes, Sally se concentra nelas, as respira e sabe que elas a fazem feliz. Essas histórias são as novas afirmações (lembra delas?) que vai registrar, repetir e bombardear para si mesma cada vez mais, substituindo assim as velhas histórias que saíam automaticamente de sua boca ou de sua mente.

Vamos revisar então?

1. Faça uma lista das velhas histórias que você tem o hábito de pensar e dizer.

2. Registre em um diário as falsas recompensas que você obtém dessas histórias.

3. Sinta as falsas recompensas, agradeça pela ajuda que recebeu delas e se desapegue.

4. Para cada falsa recompensa escreva uma nova e poderosa história para substituí-la.

5. Repita a nova história ou nova afirmação até que ela se torne a sua verdade.

6. Contemple sua nova vida maravilhosa.

Nada neste mundo é permanente, nem nossas histórias. E mesmo assim nos agarramos a elas por uma falsa segurança que nos leva à tristeza e à perda. Desapegue-se, livre-se delas. Continue reinventando suas histórias à medida que amadurece.

4. COMECE A MUDAR

Agora que você esclareceu suas histórias e pôs a energia para funcionar, é hora de agir. Se você era deprimido e decidiu se libertar disso, deixe de ouvir música melancólica, pare de dizer que se sente muito mal, não finja que pôr um roupão é igual a se vestir etc. Em vez disso, concentre-se na alegria e faça as coisas que gosta de fazer. Faça um esforço em vez de desmoronar e cair na sensação familiar de sentir-se deprimido.

Perceba que você adquiriu hábitos e mude-os. Comporte-se da forma que as pessoas que não estão deprimidas se comportam. Vista-se como elas se vestem, saia com o tipo de gente com que elas costumam sair, fale como elas falam, faça as coisas que elas fazem. Entenda de uma vez por todas que você pode ter o que quiser. Mas isso não vai funcionar se você apenas fingir. Você não pode agir como se pensasse: "Tudo bem, vou ter um encontro romântico, estou dizendo para mim mesmo que vai ser um grande momento, mas sei que vai ser horrível porque sempre é. Bom, pelo menos eu estou numa boa com isso."

•••

Acreditar que as circunstâncias do passado controlam a sua vida quando você está disposto a desbravar o mundo e tentar fazer algo é como perdoar alguém, mas ainda esperar que essa pessoa caia em uma poça de água no meio da rua.

•••

5. SAIA DA ROTINA

Fale com estranhos; vista uma roupa diferente; vá a outro supermercado; prepare um jantar para alguém que você quer conhecer melhor; mude de pasta de dente; vá ao cinema às 14h de uma quarta-feira; aprenda três novas piadas; esbanje autoconfiança; repare em cinco coisas incríveis da sua casa que sempre tinham passado em branco; observe suas crenças, sua mãe e seu próprio rosto. Faça coisas que o tirem da rotina e você se surpreenderá com as novas realidades que estavam ocultas e de repente se apresentam.

6. FUJA DA ESPIRAL

Outra situação é a conhecida espiral da escuridão, em que você começa triste porque o seu cachorro morreu e depois se dá conta de que, além de ter perdido seu cachorro, também está solteira e que será sempre solteira porque todos a abandonaram, inclusive o seu cachorro, o que talvez não acontecesse se você não tivesse essas coxas roliças ou não tivesse uma irmã linda que a ofusca e que talvez seja o principal motivo para você nunca ter sentido autoconfiança na vida, blá-blá-blá.

Fique triste, mas não faça disso um dramalhão. Se algo negativo acontecer com você, sinta isso, aprenda com isso, depois se liberte e volte a se concentrar na vida que está louca para viver.

7. AME A SI MESMO

Mais do que você ama o drama.

CAPÍTULO 18

PROCRASTINAÇÃO, PERFEIÇÃO E UM BAR POLONÊS

Para chutar um traseiro, primeiro você deve levantar o pé.
— Jen Sincero; escritora, *coach*, expert em citar a si mesma

Um dos meus primeiros empregos pós-faculdade foi o de coordenadora de produção do Ethnic Folk Arts Festival, idealizado por um pequeno grupo sem fins lucrativos, em Nova York. Um amigo expôs a proposta do evento e peguei o trabalho mesmo sem nunca ter produzido nada na vida e achando que a arte popular era um tanto chata. Mas o festival parecia divertido – eles trabalhavam num *loft* descolado em Tribeca, conheciam muito sobre música, levavam os cachorros para o trabalho, e eu conheceria músicos, dançarinos e artistas de todo o mundo que estariam reunidos em uma grande festa num bar polonês no Queens, ou seja, homens vestindo saia, salsicha e cerveja polonesa grátis.

Fiz então um currículo onde destaquei realizações como a produção de peças na faculdade (quando pedi aos amigos que aparecessem para assistir à atuação do meu namorado); criação de diversas organizações no ensino médio (quando bolei uma equipe de trenó que não tinha concorrentes e que contou com apenas uma reunião na qual passamos grande parte do tempo disputando quem bebia mais cerveja); um trabalho na estação de rádio da faculdade (eu só zanzava por lá, um amigo era o disc-jóquei). Então, coloquei um vestido casual emprestado de minha mãe que não cabia em mim e segui para a entrevista. Poucas horas depois, eu e minha grande boca tínhamos um novo emprego.

Com os olhos arregalados de horror, naquela noite quase não dormi. Meu Deus, o que eu tinha feito? Eu era um monstro! Aquelas pessoas meigas e generosas que usavam sandálias tinham me entregado uma lata de café cheia de dinheiro que tinha sido coletado para o festival durante um ano inteiro, e eu era a cabeça de vento mentirosa que iria destruir tudo aquilo.

Cheguei a pensar em confessar a mentira, mas não estava com a menor vontade de recusar uma boa festa e acabei entrando de sola, trabalhando para o grupo mais do que já tinha trabalhado em toda a minha vida. Decidi fazer jus à ocasião e me entreguei inteiramente para fazer com que aquele festival se tornasse o melhor evento já realizado naquele bar polaco. Comecei a brigar pela vitória dando o melhor de mim.

Pedi a vinte e sete dos meus amigos que estavam desempregados que distribuíssem os panfletos e vendessem os bilhetes de entrada em troca da salsicha e cerveja grátis já mencionadas, juntei os dançarinos polacos rebeldes, que na hora H enfim estavam em suas posições, reuni os vendedores de *latkes* de batata e depois cuidei para que o desfile de tocadores de gaita de foles ocorresse sem problemas.

Se você deseja muito alguma coisa, não digo (necessariamente) que deve mentir para obtê-la, mas digo que talvez você esteja mentindo para si mesmo se não correr atrás do que quer.

•••
Muitas vezes falamos que somos desqualificados para alguma coisa, mas o que realmente queremos dizer é que temos muito medo de tentar, não que somos incapazes.
•••

Na maioria das vezes não é a falta de experiência que nos segura e sim a falta de determinação para fazer o que é preciso para sermos bem-sucedidos.

Gastamos muita energia inventando desculpas para o fato de que não somos, não fazemos ou não temos o que desejamos, e projetando as distrações perfeitas para nos afastar dos nossos sonhos – imagine o quanto chegaríamos longe se apenas calássemos a boca e empregássemos toda essa energia para correr atrás do que queremos?

Aqui vão boas notícias:

1. Todos nós sabemos muito mais do que nos damos o crédito de saber.

2. Somos atraídos por aquilo que desempenhamos naturalmente bem (o que conta mais que ter uma pós-graduação no assunto, a propósito).

3. Não há melhor professor do que a necessidade.

4. A paixão supera o medo.

Olhando agora para trás, me dou conta de que era bem mais qualificada para aquele trabalho do que imaginava. Sou uma irmã mais velha; portanto, sou naturalmente mandona. Gosto de dar festas e converso com qualquer pessoa, inclusive com russos de setenta e seis anos que não sabem falar inglês e piram quando não encontram suas calças de malha.

Fiz muitas coisas para as quais não era "qualificada", mas também desperdicei muito tempo fingindo que não estava pronta para fazer outras coisas que realmente queria fazer. Surpreendentemente, as ocasiões em que me joguei de cabeça foram bem mais divertidas do que os momentos que passei sentada, "me preparando", sem fazer coisa alguma.

Quer seja um perfil de namoro *on-line* que você não está pronto para postar, ou uma viagem que deseja fazer depois de perder 20 quilos, ou um negócio que pretende começar assim que tiver economizado o suficiente... vá em frente. Agora. Faça o que for preciso, porque amanhã você pode ser atropelado por uma carrocinha de sorvete.

Uma vez passei um mês inteiro preparando meu escritório para escrever um livro. Comprei a cadeira certa, coloquei a mesa no lugar perfeito, perto da janela, organizei os materiais de que precisava, reorganizei – três vezes, ao todo – e fiz uma limpeza no local que daria até para realizar uma cirurgia no piso. Entretanto, acabei escrevendo o livro na mesa da cozinha.

•••••••••••••••••••••••••••••••••••••••
Procrastinar é uma das formas mais populares de autossabotagem porque é algo fácil de se fazer.
•••••••••••••••••••••••••••••••••••••••

Existem muitas coisas divertidas que você pode fazer para justificar a procrastinação, e não faltam pessoas empolgadas para procrastinar junto com você.

Embora possa ser superdivertido no momento, com o tempo os parceiros desaparecem e, anos mais tarde, você está sentado ali, sentindo-se derrotado, imaginando por que ainda não deu um jeito na vida. E por que outras pessoas que você conhece estão recebendo grandes promoções no trabalho, viajando ao redor do mundo ou anunciando em rede nacional o mais recente orfanato que abriram no Camboja.

•••

Se você está pensando seriamente em mudar de vida, você vai encontrar um jeito. Caso contrário, vai encontrar uma desculpa.

•••

Se você quer mesmo atingir um objetivo na vida, eis algumas dicas testadas e aprovadas para ajudá-lo a cortar a procrastinação:

1. LEMBRE-SE: O FEITO É MELHOR QUE O PERFEITO

É só botar o maldito *site* no ar, enviar a mala direta, fazer as chamadas de vendas ou agendar o compromisso, mesmo que você ainda não esteja totalmente pronto. Ninguém está preocupado, ou talvez até nem vá perceber, que tudo não está 100% perfeito – e, sinceramente, é difícil que alguma coisa esteja 100% perfeita, de modo que você pode muito bem começar agora mesmo. A melhor maneira de fazer as coisas é começar a encaminhá-las – o momento presente é algo maravilhoso, embora também seja bastante subestimado. Portanto, tire o traseiro da cadeira e comece a agir. AGORA!

2. REPARE EM QUANDO VOCÊ PARA

Quando você está trabalhando ou fingindo que está trabalhando, seja lá no que for, quando é exatamente que você para? Quando tem que fazer alguma pesquisa? Quando tem que dar os terríveis telefonemas? Quando tenta imaginar como vai levantar dinheiro? Logo depois de começar? Quando precisa se comprometer? Quando o trabalho começa a ficar bom ou antes de o trabalho decolar? Antes mesmo de sair da cama?

Se você pode identificar o momento exato em que diz "dane-se, estou fora!", você pode se preparar para contratar *coaches* ou assistentes, seja para melhorar o seu astral, para delegar alguma tarefa em particular ou para remover distrações conhecidas.

Digamos, por exemplo, que você descobre que cada vez que senta para dar telefonemas para agendar uma palestra, misteriosamente você se conecta no Facebook por horas a fio. Nesse caso, desconecte a internet ou faça as suas ligações de um lugar onde não possa ficar *on-line*. Em um parque, por exemplo. Ou no seu carro. Ou na Antártica. Então se disponha a dar cinco telefonemas antes de verificar novamente se alguém comentou a foto que você postou do seu gato comendo *chips* de batata.

3. FAÇA UMA APOSTA COM ALGUÉM QUE NÃO TENHA DÓ

Uma boa maneira de se tornar responsável é fazer uma aposta com alguém que vai cobrá-la de você. Alguém que não terá pena nem fará afagos ou que vai "entender que você deu o melhor de si". Enfim, tem que ser aquele tipo de pessoa que o fará se sentir humilhado antes mesmo de as desculpas saírem da sua boca ou que vai aparecer à sua porta com um saco de estopa, uma pedra grande e uma venda (dessa de pôr nos olhos) caso você tente não pagar a dívida. E certifique-se de apostar algo que seja doloroso perder, mas não muito irrealista. Por exemplo, você poderia apostar mil reais que vai terminar o primeiro capítulo do seu livro em uma determinada data. Ou um montante que você não queira pagar de jeito nenhum, mas que esteja dentro de suas possibilidades. Em seguida, faça um cheque para essa pessoa com a data do pagamento e deixe-o na sua mesa para se lembrar de que está em risco se você não fizer o trabalho. E se realmente quiser aumentar a pressão diga para a pessoa que, se você não honrar o prazo, o dinheiro não será dado a ela e sim doado para um grupo ou uma causa de sua preferência. Pessoalmente, esse tipo de terror faz maravilhas pela minha autodisciplina.

4. ASSUMA E TRABALHE

Se você é aquele tipo de pessoa que deixa tudo para a última hora e sabe desse hábito, por que desperdiçar tempo surtando enquanto não está fazendo o que deveria fazer? Vá à praia, tome um drinque e, quando a pressão bater, volte ao trabalho. Não há nada pior do que desperdiçar seu tempo fingindo que está trabalhando ou se estressando enquanto tenta se divertir – porque o trabalho não sai e a diversão não acontece. As duas hipóteses são desastrosas. Calcule o tempo de que você precisa para fazer o trabalho e faça outras coisas até o tempo começar a correr.

5. AME A SI MESMO

Agora mesmo, onde quer que esteja.

CAPÍTULO 19
O DRAMA DA OPRESSÃO

Vivi uma vida longa e tive muitos problemas que na sua maioria nunca aconteceram.

– Mark Twain; escritor norte-americano, humorista

Quando me preparo para escrever um livro novo, acho bem útil começar com um cartão de fichamento separado para cada capítulo. Coloco o título do capítulo no topo de cada cartão, escrevo as notas nos rodapés e depois os espalho sobre a mesa para que possa vê-los de uma só vez. Acabei de fazer isso alguns dias atrás. Foi emocionante. Vejam, é o meu novo e glorioso livro! No entanto, cerca de dois segundos depois fui tomada pelo pânico. *Ai Meu Deus, é um monte de capítulos, como é que vou fazer tudo a tempo, o prazo está se esgotando e ainda nem sei o que vou colocar em cada seção, onde é que eu estava com a cabeça, como não comecei isso oito meses atrás, ainda é muito cedo para tomar um vinho, alguém me ajude, eu estou afundando...*

Fechei os olhos e respirei fundo. *Faça. Apenas. Um. Capítulo. De. Cada. Vez.* Em seguida, puxei aleatoriamente um cartão da mesa, abri os olhos e, claro, era *O drama da opressão*.

Eu gostaria de lembrar a você e a mim que grande parte da dor e do sofrimento em nossas vidas se deve a dramas desnecessários criados por nós mesmos. Quando, por exemplo, estamos em estado catatônico de opressão, abraçando os joelhos e balançando o corpo para frente e para trás com a boca aberta, como tudo mais em nossas vidas, o que precisamos é de uma mudança de percepção para gerar uma nova realidade.

•••
A vida é um sonho. Não a transforme em um pesadelo.
•••

Somos tão incrivelmente abençoados por dispor de diversas coisas, oportunidades, ideias, pessoas, tarefas, interesses, experiências e responsabilidades que deixar de desfrutar a vida e surtar em meio a tudo isso é como atirar pérolas aos porcos. É desperdiçar um presente muito glorioso.

Para ajudá-lo a obter uma perspectiva mais agradável da sua enorme lista de afazeres, vejamos quais são as três queixas mais comuns referentes à opressão e como contorná-las:

1. NÃO HÁ TEMPO SUFICIENTE

Graças ao trabalho árduo de pessoas com cérebros brilhantes, agora sabemos que o tempo é uma ilusão. Se a maioria das pessoas não faz ideia do que isso significa, sob outro ângulo é bem mais fácil de entender: a falta de tempo é uma ilusão. Por exemplo:

Não tenho tempo para encontrar uma vaga no estacionamento e por isso vou estacionar aqui na área de carga e descarga. Veja só, acabei de perder três horas esperando o guincho, mais duas horas perdido no caminho para casa e mais quarenta e cinco minutos reclamando disso tudo para a minha esposa.

Não tenho tempo para limpar meu escritório. Veja, acabei de gastar meia hora procurando meu celular que estava debaixo de uma pilha de tralhas. E, olhe só, a bateria dele acabou, o que quer dizer que vou perder ainda mais tempo para procurar a droga do carregador, que talvez esteja debaixo de uma pilha de livros por aqui, espero que sim, por favor...

Quando somos forçados a fazer alguma coisa, o tempo aparece como que por encanto, ou seja, sempre há tempo, mas nós simplesmente escolhemos nos limitar e acreditar que isso não é verdade. Já notou que, quando você tem seis meses para fazer alguma coisa, você leva seis meses para fazê-la, mas, quando tem apenas uma semana, você leva uma semana? Quando você entende que o tempo, assim como o resto da sua realidade, está na sua mente, você o usa a seu favor em vez de ser um escravo dele.

Aqui estão algumas coisas que você pode fazer agora mesmo para começar a administrar bem seu tempo.

MOSTRE ALGUM RESPEITO

Se você quer ter mais tempo, demonstre algum respeito por ele. Se você sempre se atrasa, ignora o mundo externo ou não é confiável, não está passando uma mensagem para o Universo – nem para os outros, nem para si mesmo – de que valoriza o precioso tempo que tanto almeja para si.

Você pode criar qualquer coisa que desejar, mas precisa realmente querer.

Se você age como se o tempo não fosse importante, desperdiçando-o e desrespeitando-o, você deixa de se alinhar com suas próprias palavras e dificilmente atinge o seu objetivo. Pense no tempo como uma pessoa. Você acha que o tempo iria esperar por você se é constantemente tratado como uma bobagem sem importância? Eu acho que não.

Se você sempre se atrasa, comece a se adiantar. Se você sempre cancela ou adia ou esquece seus compromissos com os outros, comece a prestar atenção nisso. Anote seus compromissos e mantenha-os. Programe o alarme do celular para se lembrar do que vai fazer – cedo. Anote as coisas na palma das mãos. Se disser que vai fazer alguma coisa, dê sua palavra. Não é algo difícil de fazer ou de entender: se quer ter um bom relacionamento com o tempo, tenha um bom relacionamento com o tempo. Dessa forma, você terá mais tempo na própria vida e deixará de ser um daqueles grosseirões que constantemente desperdiça o tempo alheio.

MANTENHA OS AMIGOS POR PERTO E OS INIMIGOS AINDA MAIS PRÓXIMOS

O que você está fazendo em vez de fazer o que deveria fazer? De bobeira no Facebook? Respondendo e-mails? Comendo, mesmo sem estar com fome? Só depois de identificar quais são suas distrações prediletas é que você poderá se defender delas. Desconecte a internet e o telefone enquanto estiver trabalhando. Fique longe da cozinha até terminar o que estiver fazendo para evitar abrir a porta da geladeira e ficar olhando paralisado para dentro dela. Nós cultivamos hábitos ruins como esses sem nem perceber o que estamos fazendo. Quando você se conscientiza dos seus pontos fracos, começa a se proteger deles.

MASTIGUE E ENGULA

Nada é mais desanimador do que encarar uma tarefa gigantesca e se perguntar como vai terminá-la. Então, não tente comer um boi inteiro de uma só vez – corte-o em pedaços. Não fique andando pela casa, indo de um cômodo bagunçado para o outro imaginando como vai dar um jeito nesse desastre (e tentando inventar desculpas para se livrar da obrigação em vez de pensar em formas de cumpri-la). Divida a tarefa em fases e concentre-se em limpar um cômodo de cada vez. O cérebro humano não consegue lidar com muita informação de uma só vez sem explodir. Então, ao encarar cada atividade, a pior delas de repente se torna mais fácil.

Cérebros adoram se ligar em fases.

Dividir coisas em partes também funciona muito bem para o tempo. Se você, por exemplo, estiver criando um novo *site*, em vez de separar um dia inteiro para trabalhar, divida suas atividades em blocos de uma hora cada uma. Durante esse período, você não deve ir ao banheiro, pegar algo para comer, verificar mensagens no celular, ficar *on-line* etc. Depois desses sessenta minutos de trabalho, tire um tempo para fazer o que quiser até o próximo bloco desses sessenta minutos. Nós somos capazes de fazer qualquer coisa nesse tempo, e nossos cérebros ficam sobrecarregados apenas quando tentamos fazer algo durante um período muito longo.

2. HÁ MUITO QUE FAZER

Já notou que sempre que perguntamos "como vai?" para uma pessoa, quase 99% delas responde "estou bem, ando muito ocupada, mas vou bem". "Ocupado" tornou-se o novo "bem, obrigado". E, assim, onde é que a diversão entra no meio disso? Que tipo de mensagem isso manda para o mundo e para nós mesmos? Não é de espantar que todo mundo se sinta esmagado por uma lista de afazeres que tem o peso de uma gigantesca laje de cimento. Sendo assim, a primeira tarefa é:

MEÇA SUAS PALAVRAS...

Pare de falar que está ocupado. Concentre-se na parte agradável do que você faz e nos intervalos dessas atividades em vez de se sentir sobrecarregado. Escolha viver uma vida mais relaxada, com projetos interessantes a que você curte se dedicar, e comunique isso para o mundo e para si mesmo. Daí, ponha a mão na massa e faça tudo com alegria.

CONSIGA ALGUMA AJUDA

Se você se sente confuso e desorganizado, sem saber por onde começar ou o que fazer a seguir, consiga alguma perspectiva externa. Muitas vezes estamos tão enrolados em nossas próprias vidas que não enxergamos aquilo que é óbvio para outra pessoa. Você nunca perdeu um tempão procurando seus óculos e de repente notou que eles estavam na sua própria cabeça? É algo assim. Você pode perder horas, dias, meses (ou a vida inteira) tentando achar um meio de refazer o seu site, de começar um regime de exercícios ou de organizar o seu escritório e, num piscar de olhos, alguém que não está tão absorto naquilo quanto você apresenta uma solução. Você precisa de um novo olhar sobre a situação.

E que seja um olhar que sabe o que está fazendo, por favor. Não aceite conselhos sobre dinheiro de alguém que seja tão duro quanto você ou conselhos sobre namoro de um solteiro terminal, nem pense que qualquer pessoa está qualificada para ajudá-lo simplesmente porque não vai cobrar nada por isso. No longo prazo, a ajuda de um profissional poupa tempo e dinheiro porque você não tem que gastar tempo desfazendo ou refazendo a primeira tentativa que não deu certo.

Contrate um consultor comercial, peça conselhos a um amigo que seja bem-sucedido, contrate um organizador para ajudá-lo a se livrar de coisas inúteis em casa... E se nada disso resolver o seu caso em particular, siga para o próximo tópico.

CAIA NA REAL

Às vezes a gente abraça o mundo com as pernas porque achamos que temos que fazer tudo. Ou que o mundo pode desmoronar se não fizermos tudo. Ou porque seremos pessoas ruins e detestáveis se não fizermos a infinidade de coisas que tentamos fazer. Então, seja bem sincero consigo mesmo aqui – por que você precisa fazer todas essas coisas? É absolutamente necessário que você faça tudo? E tem que ser tudo ao mesmo tempo? Algumas delas podem esperar? Podem ser passadas para outra pessoa? Ou podem ser completamente deixadas de lado? E, caso você precise mesmo botar a mão na massa, o que poderia tornar o trabalho mais agradável?

Da mesma forma que você divide o tempo em partes, dividir as tarefas pode poupar você de ter um surto e tornar as atividades mais tranquilas e manejáveis. Aqui vão sugestões de como fazer isso.

Faça uma lista de afazeres. Pondere a respeito.

O que precisa acontecer agora mesmo?

O que pode esperar?

Bote essas atividades em duas listas separadas. Esconda a lista do que pode esperar.

Quais são as tarefas mais importantes na lista do que precisa ser feito agora?

Quais são as menos importantes?

Chame outra pessoa para cumprir a lista das tarefas menos importantes ou guarde-a enquanto faz as atividades mais importantes. Isso se chama priorizar, pessoal!

Quanto menor for a lista em que estiver trabalhando, melhor você vai se sentir.

E lembre-se: *você nunca vai fazer tudo*. Então, deixe de se estressar com isso.

• •
Faça o que é possível com alegria em vez de sofrer tentando fazer tudo.
• •

DELEGUE OU MORRA

Uma ótima forma de aliviar a carga sobre os seus ombros é parar de ser controlador e/ou um pão-duro e contratar alguém para ajudá-lo. Ou delegar tarefas a quem estiver próximo de você. (Ver abaixo.)

Você absolutamente não pode gerir um negócio, ser promovido e nem ser um bom pai ou mãe, e seus cabelos vão ficar brancos antes do tempo se tentar fazer cada coisinha sem a ajuda de outra pessoa.

Depois de determinar as tarefas que você odeia fazer, não se sente bem ao fazer ou não tem tempo para fazer, encontre alguém para fazê-las. Talvez você diga que não pode se dar ao luxo de contratar alguém, ou porque acha que vai fazer melhor, ou porque é um(a) maníaco(a) por controle. No entanto, como ocorre com muitas outras desculpas, muitas vezes a resposta é que você simplesmente não está encarando a questão do modo adequado. Se você fosse obrigado a receber ajuda, se fosse uma questão de vida ou morte, o que faria? Poderia conseguir um estagiário em alguma faculdade. Poderia recrutar um amigo ou parente para ajudar. Poderia contratar alguém por apenas 30 minutos por semana e aumentar a carga horária conforme progredisse. Ou poderia vender alguma coisa e, com o dinheiro obtido, pagaria alguém pelo serviço. Ou pedir emprestado. Ou se forçar a fazer. Talvez transferir o trabalho para o RH e eles que se virassem com o problema. Poderia pedir ao seu marido para esvaziar a máquina de lavar louça e ao seu filho adolescente para limpar a garagem porque assim lhe sobraria mais tempo. Enfim, a ajuda está ao nosso alcance, e recebê-la, às vezes, é simplesmente uma questão de olhar a situação de outra maneira ou de não desistir facilmente.

Decidir que não pode ter algo de que necessita ou que deseja com urgência corta instantaneamente o fluxo da manifestação e afasta você daquilo que o motivou inicialmente. Quando você pensa "não consigo", o Universo responde "tudo bem, você não está precisando de ajuda, até mais tarde". Mesmo sem ter ideia de onde pode vir a ajuda, mantenha-se aberto para a possibilidade de ela surgir e você pode se surpreender com o que é capaz de criar e a quantidade de ajuda que poderá obter. Determine o que deve ter, acredite que aquilo está à sua disposição, se desdobre para achar um meio de fazer acontecer e esteja confiante de que esse *meio* lhe será revelado.

LEMBRE-SE DE QUE VOCÊ É O NÚMERO 1

Coloque as suas prioridades em primeiro lugar – não verifique e-mails nem mensagens de voz nem o Facebook antes de começar o dia e fazer as tarefas que você precisa fazer. Enquanto estiver ocupado, deixe de lado o telefone e as mensagens de texto. As necessidades de outras pessoas ocupam um valioso tempo da nossa atenção e, se você permitir que isso ocorra, a coisa só piora.

3. ESTOU EXAUSTO

Acreditar que tirar uma folga vai fazer sua vida desmoronar é doentio e arrogante (o mundo continua girando se paramos de trabalhar, sabe?). Se você não se der um tempo, seu corpo em algum momento vai tomar uma decisão e deixá-lo doente. O corpo humano faz isso o tempo todo. O estresse é uma das principais causas de câncer, ataques cardíacos, insuficiência hepática, acidentes estúpidos, mau humor e insuficiência respiratória.

A despeito do fator doença, encontrar tempo para fazer o que nos inspira deve ser uma prioridade, pois qual é o sentido de viver sem esse tipo de coisa? Qual é a graça de se chegar aos 85 anos e de repente perceber que você "não achava tempo" para se divertir? O que você fazia que era tão mais importante que isso? O divertimento não é um luxo reservado apenas para os mais ricos e mais inteligentes ou para quem vive uma vida mais tranquila que a sua. É um luxo reservado para as pessoas que se dão um tempo para descobrir e escolher uma vida mais plena de diversão.

Use as ferramentas apresentadas neste capítulo para obter tempo para descansar como precisa e se divertir, desfrutando sua vida preciosa enquanto ainda a tem.

4. AME A SI MESMO

Você está fazendo um trabalho incrível.

CAPÍTULO 20

MEDO É PARA OTÁRIOS

Caminhamos pela vida na ponta dos pés na esperança de chegar à morte em segurança.

– Autor desconhecido

Eu morava no Novo México quando uma amiga me levou a uma caverna de que tinha ouvido falar, situada nas montanhas de Jemez. "É mais um grande buraco no solo", ela disse. "Mas ouvi dizer que é bem legal." Ela não vendeu muito bem a ideia, especialmente quando descreveu que teríamos que rastejar todo o tempo que passássemos lá, mas não prestei muita atenção no que ouvia porque não dou a mínima para cavernas, não importa o tamanho delas. O que me interessava era a viagem, a trilha nas montanhas e o local que havia conhecido na última vez que tinha estado lá que servia um hambúrguer maravilhoso. A caverna seria apenas uma parte necessária da jornada, como uma parada para abastecer o carro.

Depois de uma gloriosa viagem de carro sob o infinito céu do Novo México e uma caminhada ao longo de uma estrada de terra vermelha em meio a uma floresta de pinheiros, chegamos à caverna. O lugar era exatamente como ela tinha descrito: um pequeno buraco na base de uma modesta colina, por onde se podia entrar rastejando. Minha amiga me lançou duas joelheiras e uma lanterna, e entrou. Eu a segui engatinhando, com a lanterna entre os dentes. Cerca de dez minutos depois, eu senti que jamais veria a entrada da caverna ou um hambúrguer novamente, ou seja, nós estaríamos ferradas se ocorresse uma enchente ou um terremoto, ou se aparecesse um monstro, uma cascavel ou mosquitos lá dentro. O túnel de rocha branca e íngreme que nos rodeava ficou tão estreito que, quando minha amiga parou de rastejar e se inclinou contra a parede para se sentar, sua cabeça estava tão inclinada para a frente que ela parecia prestes a mastigar o próprio pescoço. Que diabos eu estava fazendo naquele lugar?

"Beleza, agora vem a parte legal. Você está pronta? Desligue a sua lanterna", ela disse. Ela desligou a sua depois de sinalizar para que eu fizesse o mesmo. No momento que a luz se apagou, eu experimentei a mais absoluta escuridão, um negrume, um blecaute que se estendeu até minha alma, um breu total, minha nossa, meu Deus, Jesus amado! Senti a histeria fazendo cócegas na minha nuca e, pela primeira vez na vida, entendi completamente o que é o medo.

O medo era a única coisa que eu conseguia ver naquele buraco: gigantesco, onipresente, obsessivo. O medo olhou nos meus olhos como se me perguntasse: "Então, vai deixar eu engolir você ou o quê?"

Sem fazer esforço, percebi que poderia entrar em um surto claustrofóbico, a ponto de arranhar, morder, berrar de loucura e que eu e minha amiga ficaríamos olhando para o nada, brincando

com nossos próprios lábios por semanas depois que arrastassem nossos corpos flácidos e cobertos de sangue para fora da caverna. Ou... não.
A escolha era minha.

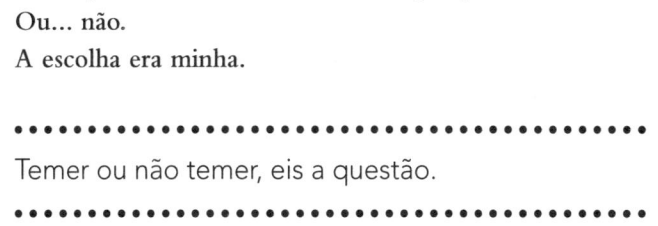

•••
Temer ou não temer, eis a questão.
•••

Informo com prazer que abandonei o frenesi do medo e calmamente rastejei para fora da caverna, em direção à luz do sol e aos espaços abertos, andando sobre as duas pernas. Eu me levantei não apenas com os ouvidos entupidos de areia e com a mandíbula travada de tanto segurar a lanterna com os dentes, mas também com uma nova e profunda compreensão do que significa *escolher* o medo.

É muito simples: o medo está sempre por aí, a postos e pronto para causar estragos, mas podemos escolher se seremos tragados por ele ou se acenderemos as luzes, abafando-o e deixando-o para trás. Também percebi que é muito fácil abafar o medo, nós é que nos condicionamos a acreditar no contrário.

Fizemos do medo um hábito.

Desde crianças nos enchem de medo, assim como nos enchem de açúcar, e à medida que crescemos absorvemos as notícias ruins da TV, o horror dos jornais, a violência nos livros, filmes e videogames e de todas as porcarias que nos enchem de medo do mundo. Somos ensinados a não correr riscos e advertimos todos ao redor para que sigam nosso exemplo.

Isso se tornou uma parte tão aceita do nosso condicionamento social que nem nos damos conta do fato.

Por exemplo, como você reagiria se alguém de quem você gosta e com quem se preocupa lhe dissesse num rompante:

Fiz um empréstimo gigantesco para construir o negócio dos meus sonhos.

Vou viajar ao redor do mundo. Durante um ano. Sozinho.

Vou largar meu emprego estável e em tempo integral para me tornar ator.

Conheci uma pessoa incrível na semana passada e me apaixonei loucamente. Nós vamos nos casar.

Vou praticar paraquedismo.

Quando alguém dá um salto de fé, quase sempre a nossa primeira reação é gritar um "cuidado!". Além de estarmos habituados a passar nossos medos, preocupações e dúvidas uns para os outros, trocamos tapinhas nas costas por essa razão, porque acreditamos que isso demonstra o quanto nos preocupamos.
ISSO, sim, é algo de que vale a pena sentir medo, sinceramente.
Existe uma coisa chamada Efeito Caranguejo. Se você colocar um monte de caranguejos em uma tigela e um deles tentar sair enquanto os outros rastejam ao redor, os outros tentarão puxá-lo de volta em vez de ajudar a empurrá-lo para fora. Com companheiros como esses, quem precisa de inimigos, não?
Imagine o quanto o nosso mundo seria diferente se *fôssemos* menos parecidos com os caranguejos. Se fôssemos ensinados a

realmente acreditar em milagres – claro, eu sei que isso soa ingênuo, mas se fôssemos recompensados e apoiados, não advertidos aos gritos quando damos grandes saltos rumo ao desconhecido. Sempre apoiamos a ideia de que tudo é possível, pendurando nas paredes pôsteres de gatinhos e foquinhas que dizem "siga os seus sonhos", mas, quando realmente fazemos alguma coisa radical, todos os holofotes iluminam você e sirenes disparam. Sabe como é?

O medo vive no futuro. A sensação do medo é real, mas o medo propriamente dito é inventado *porque nada sequer aconteceu ainda* – morrer, ir à falência, quebrar uma perna, esquecer as suas falas, levar uma bronca por ter se atrasado, ser rejeitado e por aí vai. Na maioria das vezes, não temos nenhuma garantia de que o que temermos vai mesmo acontecer e que, se ocorresse, seria mesmo assustador. Um exemplo disso é a morte. Pelo que sabemos, deixamos os nossos corpos e passamos para um estado iluminado, de puro amor, coisas brilhantes, unicórnios, coelhos e um orgasmo eterno. Podemos ter tanta certeza disso quanto de qualquer outra coisa no futuro. Então, por que tanto drama?

Tudo de que precisamos para "virar a chave" do medo é aprender a ficar confortável diante do desconhecido, não apavorados. E isso acontece por meio da fé.

Basicamente, tudo se resume às suas escolhas em relação à vida.

•••

O seu medo é maior do que sua fé no desconhecido (e em você mesmo)?

Ou sua fé no desconhecido (e em você mesmo) é maior do que o seu medo?
•••

Enquanto você faz a sua escolha, aqui vai uma boa e velha frase da Helen Keller:

A vida ou é uma aventura ousada, ou não é nada. Encarar a mudança e agir como espíritos livres na presença do destino é uma força invencível.

Há um momento único em que você decide, "dane-se, eu vou arriscar", e subitamente a emoção supera o medo. Então, é como sair por aí voando – você pega uma caneta e assina o contrato para comprar uma casa, confronta seu pai, tira o anel de noivado do dedo, pisa em um palco diante de milhares de pessoas. É a sensação de estar vivo!

•••
Do outro lado do medo está a liberdade.
•••

Eis algumas formas úteis de navegar na jornada pela selva do medo:

1. OLHE O MEDO PELO ESPELHO RETROVISOR

Pense em algo radical que você fez e que literalmente fez você tremer na base de tanto medo. Agora, pense nisso novamente – ainda é tão aterrorizante? Ainda evoca sentimentos assustadores? Mesmo uma pequena pontada de medo? Pense nisso cada vez que tiver que encarar um novo desafio: mesmo que o seu próximo grande salto seja intimidador, ele será insignificante quando você olhar para trás, algum dia. Então, por que esperar? Por que não observar o desafio com as lentes coloridas da insignificância agora? Visualize os seus desafios do futuro, observando-os a partir de um lugar de vitória, e eles perderão o poder de deixar você paralisado.

Sempre recorro à minha primeira viagem para a Índia quando sinto que vou amarelar ao fazer uma coisa que me assusta. Essa foi uma de minhas primeiras viagens internacionais e pensei que seria um lugar legal para se visitar, mesmo que minha experiência com a Índia se resumisse a alguns CDs de Ravi Shankar e pratos de frango *tikka masala*. Eu queria ir a um lugar totalmente novo e experimentar uma realidade que fosse o mais diferente possível da minha. Pensei que uma viagem à Índia seria como fazer uma viagem através do espelho.

Só depois que comprei a passagem é que me perguntei: "O que eu estou tentando provar?" Por que estava fazendo aquilo? Eu nunca tinha viajado sozinha para um lugar tão distante, onde não conhecia ninguém, não falava a língua e nem sabia o que esperar. Juro que fiz a coisa crescer a ponto de pensar que seria uma das piores experiências da minha vida. Eu me imaginava como um pequeno ponto flutuando no espaço do outro lado do Globo, flutuando em um espaço onde eu era completamente anônima, um fantasma, uma estranha, onde poderia desaparecer sem deixar vestígios e ninguém que eu amasse saberia o que tinha acontecido comigo. Bum, já era!

A coisa ficou tão ruim que passei a fantasiar que eu sofreria um acidente grave ou que meu melhor amigo iria morrer e, por isso, eu não poderia viajar (por algum motivo, não me passou pela cabeça apenas cancelar a passagem). Mas, por sorte, ninguém morreu e de repente me vi dirigindo para o aeroporto como se estivesse indo para o meu próprio velório. No momento em que entrei no terminal internacional do aeroporto, me vi envolvida em um mar de cores, de pessoas do mundo inteiro, movimento, idiomas e meu terror tornou-se excitação. Eu vou para a Índia!

No avião, sentei-me ao lado de uma linda indiana vestida com um sári rosa e enormes brincos de ouro que se virou para mim, sorriu e me ofereceu chocolate. Foi quando realmente a ficha caiu: *Você não está sozinha, sua bocó. Você está cercada de gente. E se conectar com alguém é uma das necessidades humanas mais básicas e comuns*. Foi assim que iniciei uma viagem de dois meses por um país que hoje, de longe, é um dos lugares de que mais gosto no planeta e que despertou um amor por viagens que me transformou completamente.

Este e outros exemplos de minha própria vida me dizem repetidamente o seguinte:

Nossos maiores medos são uma grande perda de tempo.

Encare os medos com a verdade, sabendo que estão apenas em sua mente e eles vão perder o poder que exercem sobre você.

2. REVERTA O MEDO

Quando perceber que o medo está assumindo o controle, observe-o de uma perspectiva diferente. Primeiro, quebre-o em pedaços para descobrir o que você realmente teme e, depois, o faça funcionar a seu favor, não contra você. Mostre quem é que manda. Alimente seu medo com um osso duro de roer.

Por exemplo:

Eu quero escrever um livro, mas nunca o escrevo. Por que não? *Porque estou com medo de que ele seja ruim*. O que pode acontecer se ele for ruim? *Vou parecer idiota e, depois, as pessoas vão tirar sarro de mim*. E, depois, o que mais? *Vou sentir vergonha*. Certo, então você ainda não escreveu o livro porque não quer parecer idiota e morrer de vergonha.

Agora, reverta a situação: o quanto você vai se sentir idiota e envergonhada se não escrever o livro? *Muito. Sei que é uma ideia brilhante e um grande sonho meu.* Então, será que a estratégia de não o escrever para não se sentir idiota e envergonhada vai protegê-la da estupidez e da vergonha? *Não.* E, já que você está se arriscando a se sentir idiota e envergonhada, o que é pior: tentar escrever um livro ruim ou não o escrever e viver uma vida de mediocridade, lamúria e vergonha? *Viver uma vida de mediocridade, lamúria e vergonha.*

Quebre o medo em partes e você realmente poderá observar e neutralizar a situação que o assusta. O medo tem a ver com a forma de olhar para as coisas. Então, ao mudar de perspectiva, você se contrapõe ao medo que o impede de incentivar sua jornada rumo à grandeza.

3. VIVA O MOMENTO

Alguma coisa assustadora está acontecendo com você neste momento? Agora mesmo, enquanto você está sentado, algo ruim está rolando ou são apenas os seus pensamentos que o estão apavorando? Você esgota sua energia preciosa para detonar por aí quando surta antes mesmo que alguma coisa aconteça. Em vez disso, concentre-se no momento presente e se conecte com seu eu superior. Se você está prestes a entrar em um tribunal, a saltar de um avião ou a pedir um aumento, respire no momento e conecte-se com a Energia Primordial. Mantenha sua frequência elevada e sua crença em milagres fortalecida, libertando-se dos temores de sua mente, e você vai descobrir que, além de estar muito mais bem equipado para lidar com as situações que o aguardam, geralmente a coisa é bem mais atemorizante na sua cabeça do que é na realidade.

4. CORTE O FLUXO DE BESTEIRAS

Fique mais consciente das informações que você absorve. Quais *blogs* você lê? A quais programas você assiste? Quais livros lê? Que tipo de histórias gosta de ler nos jornais? Que filmes você vê? Para quem pede opiniões? No que se concentra no dia a dia? A questão aqui não é estar em negação ou estar desligado dos acontecimentos mundanos, mas a quantidade de informações de que você realmente necessita. Você observa desgraças ou prefere juntar informações que lhe permitem contribuir com mudanças positivas?

Quem chafurda na dor e no sofrimento, não ajuda ninguém, nem a si mesmo, da mesma forma que deixar de comer não ajuda quem sofre com a fome. Se quiser ajudar o mundo e você mesmo, mantenha sua frequência elevada e faça o seu trabalho com poder e alegria.

5. NÃO PENSE EM COISAS DESAGRADÁVEIS PRINCIPALMENTE ANTES DE DORMIR

Nossas mentes se tornam lupas gigantescas que deixam nossos medos 100% maiores quando estamos, como um público cativo, deitados na cama às 3h sem nada para nos distrair. A menos que você esteja disposto a sair da cama agora mesmo para tomar alguma atitude, não perca o seu precioso tempo remoendo os seus problemas. Cada vez que você faz isso, nunca é tão ruim quanto na manhã seguinte quando você se levanta. Você sabe disso, e mesmo assim... Use os seus poderes meditativos para repelir as preocupações de sua mente, concentre-se lenta e deliberadamente em relaxar cada músculo do seu corpo, de modo que esse relaxamento ocupe todo o espaço do cérebro que você usava para surtar. Respire profundamente e pense nas coisas incríveis da sua vida; ouça uma meditação guiada, faça de tudo para desfrutar de uma boa noite de sono e deixe para lidar com os problemas de manhã. Afinal, muito pior do que passar a noite toda pensando em um problema é estar exausto no dia seguinte e o problema continuar lá.

6. AME A SI MESMO

E você será invencível.

CAPÍTULO 21

MILHÕES DE ESPELHOS

Ninguém faz você se sentir inferior sem o seu consentimento.
— **Eleanor Roosevelt; ativista, feminista, super-heroína,
eterna primeira-dama dos Estados Unidos**

Um dos aspectos mais surpreendentes das outras pessoas é que elas nos oferecem valiosas informações, muitas vezes alarmantes e íntimas, a respeito de si mesmas, assim que as conhecemos. Se prestarmos atenção, captamos as principais pistas que elas nos enviam por meio de sua linguagem corporal, sua aparência, seu estilo de vida, de suas ações, de seus interesses, das palavras e da forma pela qual tratam a si mesmas, os cães, as garçonetes etc. Algumas não têm nenhum problema em exibir tudo, enquanto outras se revelam aos poucos: "Adoro esqui aquático." "Admiro sua autoconfiança em relação ao seu problema de peso." "Acabei de sair da prisão", e por aí vai. Com exceção dos sociopatas e dos mentirosos patológicos, a maioria se entrega logo de cara.

Depois que essas informações passam pelo filtro de quem *somos*, dependendo de nossas percepções, julgamentos, envolvimentos e de quantos anos fizemos terapia, decidimos se queremos conhecer melhor a outra pessoa ou não.

Todos nós somos atraídos ou repelidos pelos diversos aspectos das outras pessoas. E os aspectos que mais se destacam são aqueles que nos fazem lembrar de nós mesmos. Isso ocorre porque os outros são como nossos espelhos: se o outro o incomoda, é porque você projeta nele alguma coisa de que não gosta em si mesmo. Se o outro lhe parece uma pessoa incrível, é porque reflete alguma coisa de que você gosta e vê em si mesmo (mesmo que essa coisa ainda não esteja desenvolvida até o momento). Sei que isso soa como uma grande generalização, mas acompanhe o raciocínio aqui.

Sua realidade é fruto de seus objetivos e de como você os interpreta. Isso vale para tudo, inclusive para os seus objetivos em relação às pessoas com quem convive. Dependendo de quem você seja, pode reagir de variadas maneiras em relação ao seu novo namorado ou namorada se referir a você constantemente como "o(a) grande idiota".

A) Você pode ver isso como um alerta e achar que ele ou ela é agressivo(a).

B) Você pode ver isso como um alerta por achar que ele ou ela é nervoso(a) ou inseguro(a) e terrivelmente grosseiro(a).

C) Você pode ver isso com tranquilidade porque "ele (ela) sofre tanto que precisa agredir os outros. Então essa pessoa precisa muito de alguém compreensivo(a) como eu".

D) Ainda pode ver isso com tranquilidade porque, no fundo, você acredita que é um(a) grande idiota.

E) Por último, você pode achar isso hilário porque não o(a) afeta.

•••
As pessoas que o rodeiam são excelentes espelhos para você se conhecer e para saber quanto amor – muito ou pouco – você tem por si mesmo.
•••

Nós atraímos as pessoas para nossas vidas por inúmeras razões, da mesma forma que elas nos atraem para as delas. Todos nos ajudamos mutuamente a crescer e a descobrir nossos problemas, *se* aproveitamos a oportunidade para aprender e não nos limitamos a reagir (ficando na defensiva, justificando nossas ações ou nos lamentando) diante das coisas irritantes que as outras pessoas fazem. Os nossos amigos irritantes, nossos parentes, os clientes ou os vizinhos ou a senhora no metrô com voz de megafone é que nos ajudam a crescer e encarar quem realmente somos, não os nossos amados amigos de fé (a menos que eles estejam sendo irritantes por um momento, daí também podemos agradecer a eles). Não perca a gloriosa oportunidade de saber o que lhe está sendo entregue pela pessoa cuja boca você gostaria de esmurrar.

As coisas que nos aborrecem nas outras pessoas são as que nos evocam aspectos de que não gostamos em nós mesmos. Ou suas atitudes desencadeiam medos e inseguranças que nem percebemos ter. Durante muito tempo, eu achava que ser feminina era igual a ser fraca e irritante. Sei lá quando eu decidi que não era legal ou forte agir (ou ser) como uma garota, e minha feminilidade virou uma parte de mim da qual eu devia me envergonhar. Por isso me sentia bem menos ameaçada pelas mulheres que se aproximavam com uma furadeira do que pelas que se aproximavam com um lápis de sobrancelha, mas hoje acho hilário pensar que uma de minhas melhores amigas é extremamente feminina. Nós nos conhecemos quando trabalhávamos em Nova York e ela me atraiu instantaneamente porque era divertida, meiga e imitava impecavelmente um de nossos colegas que andava pelo corredor mostrando o bumbum, o que sempre me fazia rolar de rir. Mas, ao contrário de mim, ela adorava sair à noite "só com as garotas", fazer as unhas com as amigas, era uma admiradora ansiosa de anéis de noivado quando alguma noiva a convocava para tal tarefa e era uma profissional na arte de cumprimentar outra mulher: braços para o ar, cabeça para trás, olhinhos cerrados e gritinhos de "ai, meu Deus!" que qualquer um podia escutar. Por essa razão, nós a chamávamos de Pink.

Uma década depois, estou vivendo em Los Angeles, e Pink, nos arredores de Nova York, casada e com um monte de filhos, claro. Ela então resolve fazer sua primeira viagem sozinha desde que se tornou mãe, rumo a San Diego, para visitar sua melhor amiga dos tempos de faculdade. Pink me liga e implora ao telefone para que me encontre com ela. Eu concordo, um tanto a contragosto, não porque teria que passar duas horas dirigindo, mas pela melhor amiga dela dos tempos de faculdade, que eu não conhecia, mas que talvez fosse mais cor-de-rosa que a Pink. Pensei numa cena que totalmente podia se passar numa república só de garotas, com a gente pintando as unhas, fazendo uma maratona de filmes de Meg Ryan e conversando sobre o quanto tínhamos engordado. Mas adoro Pink. Então vou ao encontro.

Enquanto isso, em San Diego, a melhor amiga dos tempos de faculdade de Pink não está lá tão excitada assim com a perspectiva de que também sua melhor amiga dos tempos de Nova York estivesse vindo para Los Angeles. Ela também estava revirando os olhos, temendo uma possível bomba de estrogênio. Então imagine o quanto ficamos alegres quando descobrimos que nós duas éramos igualmente masculinas. E depois que percebemos que o terreno não era tão esmagadoramente cor-de-rosa como temíamos, surge a maior surpresa de todas: o nosso eu interior de garotas negligenciadas sente-se seguro para sair do armário. Naquele fim de semana, nós três quase ficamos afônicas de tanto gargalhar e gritar "ai, meu Deus" para que todos pudessem ouvir. Eu nem me surpreenderia se tivéssemos pintado algumas unhas do pé. Não me lembro. Eu estava muito bêbada de tanto vinho que tomamos.

Embora eu ainda não seja muito fã de chás de panela, nem esteja dizendo que você precisa se adequar ao ambiente e gostar de tudo que o incomoda neste mundo, afirmo que se você *realmente* não gosta de algo é porque isso o afeta em algum nível e tem algum significado.

Quando você se vê lidando com alguém que o irrita (a ponto de fazê-lo fofocar, acusar, julgar e reclamar), erguer a cabeça e enfrentar a situação é bem mais eficaz do que apenas tornar a vida mais agradável no longo prazo. Fazer isso pode ajudar você a se curar, a crescer e a sair do modo "vítima", porque o obriga a lidar com o seu próprio lado ruim, que não o deixa nem um pouco orgulhoso. Ninguém gosta de admitir que é desonesto, pretensioso, inseguro, antiético, cruel, mandão, estúpido, preguiçoso etc. Mas são esses aspectos que atraem as pessoas umas para as outras. E admitir é o primeiro passo para se libertar disso – pode acreditar!

Quando uma pessoa é irritante de um modo que não tem nada a ver conosco, ou a ignoramos ou nos distanciamos. Digamos, por exemplo, que um conhecido seu é um insuportável sabe-tudo. Cada vez que você abre a boca para dizer alguma coisa que fez, ela diz que também fez o mesmo. Qualquer coisa que você sabe, ela também sabe – e muito mais do que você. E ela faz questão de que você e qualquer outra pessoa em um perímetro de vinte quilômetros saibam o quanto ela conhece tudo. Mas enquanto você pensa em lançar a cabeça dessa criatura contra a parede todas as vezes que está perto dela, uma terceira pessoa pode estar acompanhando tudo o que ela diz, maravilhado por sua conversa tão fascinante e brilhante.

Talvez a razão pela qual essa pessoa o enlouquece é porque você também se considera um sabe-tudo, ou se preocupa por ser um, ou sente-se inseguro quando pensa que os outros podem achar que você é um ignorante.

Nossa realidade e as pessoas que vivem nela são espelhos de nossos pensamentos.

O mesmo acontece com as projeções das outras pessoas sobre nós. Você se sentiria ofendido se continuassem fazendo piadas dos tempos em que você era baixinho, mesmo agora tendo 1,80m? É possível que você nem registrasse isso e, se registrasse, só acharia um pouco estranho. Mas se alguém zombasse de você por ser mandão e no fundo você se sentisse assim, isso definitivamente chamaria a sua atenção. (Também significaria que essa pessoa possui a energia do autoritarismo que reconhece em você, mas isso não é problema seu.)

Você atrai para si tudo aquilo no que se concentra. Se você se concentra de forma consciente ou inconsciente em crenças sobre como você é, sobre quem você quer ser ou como não quer ser, aqueles que espelham esses traços se sentem atraídos por você.

Por isso, quando você tem que lidar com "amigos" traíras, tipos tóxicos que precisam ser chutados para longe de sua vida, você é pego numa armadilha autoinfligida de não querer magoá-los, se prende às qualidades dessas pessoas ou teme o pior se não tolerar a situação. Não importa quanto tempo você foi amigo de alguém ou se sente pena dessa pessoa, nem se ele o ajudou oito milhões de vezes ou se esta pessoa é divertida, bem-sucedida, sensual, inspiradora, desesperada, assustadora, ligada, brilhante ou indefesa, porque suas dificuldades para tomar uma atitude em relação a esse "amigo" não têm nada a ver com isso.

O que realmente acontece é que você precisa rever as crenças limitantes que tem sobre si mesmo. E que está usando essas desculpas com essas pessoas para não ter que enfrentar o seu próprio problema: o fato de não tomar uma atitude a favor de você mesmo.

> No fim das contas, o que importa não são as outras pessoas, mas sim você acreditar que é digno de ser amado e reconhecido por ser quem realmente é.

Quando concordamos em ficar mal para apoiar atitudes negativas dos outros, isso costuma vir do mesmo impulso: *Não estamos dispostos a fazer uma outra pessoa se sentir desconfortável, ainda que ela tenha acabado de fazer isso conosco.* Isso não é muito atraente no velho departamento do amor-próprio, não é mesmo? Mas quando digo "fazer os outros se sentirem desconfortáveis" estou falando *de se recusar a participar do drama deles*, não de ser abusivo como eles foram conosco. Isso não tem nada a ver com usar a tática do "olho por olho" ou com baixar o nível – o caso aqui é ser superior (o seu "eu superior"), mesmo que a pessoa com quem você esteja lidando opte pelas seguintes reações:

- Ficar desapontada.

- Ficar magoada.

- Ficar incomodada.

- Achar que você é doido.

•••
O que importa é respeitar a si mesmo em vez de alimentar a sua necessidade insegura de ser apreciado.
•••

Tal atitude é incrivelmente poderosa porque *quando você se ama o bastante para assumir a sua verdade não importa o custo, porque tudo é benefício*. E assim você atrai coisas, pessoas e oportunidades que estão alinhadas com quem você realmente é – algo muito mais divertido do que sair com um bando de sugadores de energia irritantes. Ao se recusar a participar do drama de outras pessoas, (isto é, não criticá-las severamente, não reclamar da injustiça do mundo etc.), além de aumentar a sua própria frequência, você oferece aos reis e rainhas do drama a chance de também se levantarem, impedindo a todos de continuar em um jogo baixo e horrível.

•••
Nunca peça desculpas por ser quem é. Isso não faz bem ao mundo.
•••

Todos nós conhecemos alguém que não leva desaforo para casa. Jamais. Olhamos para essas pessoas com reverência, de olhos arregalados, e nunca sonharíamos em ser idiotas o bastante para encher o saco delas ou provar que estão erradas. Por quê? Porque as respeitamos e, bem, costumamos ter medo delas (de forma saudável). E por que as respeitamos? *Porque elas respeitam a si mesmas.*

Como então você pode se livrar de suas projeções e julgamentos ruins e presentear o mundo com o seu melhor eu, aquele que nunca pede desculpas?

1. TOME POSSE DE SUA FEIURA

Comece a reparar no que o deixa maluco nas outras pessoas e, em vez de reclamar, julgar ou ficar na defensiva em relação a elas, use-o como um espelho, *especialmente se você notar que está ficando muito ansioso*. Caia na real a respeito de si mesmo – você próprio tem essa qualidade? Ou há algum aspecto que você não quer admitir, mas que tem a ver com você? Isso o lembra de algo que você tenta ativamente suprimir? Ou evitar? Ou fazer exatamente o oposto? Ou você se sente ameaçado por essas coisas? Quando você se fascina por uma coisa e deixa de se enfurecer com ela, ocorrem mudanças transformadoras.

2. QUESTIONE SUA FEIURA

Só depois de descobrir qual parte de si mesmo você projeta na pessoa que atualmente o tem incomodado profundamente é que você poderá se libertar. Comece fazendo algumas perguntas simples para si mesmo e neutralize as histórias limitantes e falsas que você vem arrastando por tanto tempo.

Se, por exemplo, você está morrendo de raiva porque um amigo que vive se atrasando fez a mesma coisa novamente, isso o aborrece porque você está apegado a algum tipo de "verdade" sobre a forma pela qual as pessoas devem agir em relação ao tempo. Reverta a situação perguntando-se: "De que maneira eu mesmo costumo me atrasar, não demonstro consideração ou não sou confiável?" Ou talvez: "De que maneira eu me mostro rígido ou controlador?"

Depois de obter uma resposta, pergunte-se:

QUEM EU PRECISO SER PARA ESSA SITUAÇÃO DEIXAR DE ME INCOMODAR?

Com esse cenário, digamos que você descubra que é muito mais rígido do que gostaria de admitir. Essa informação é valiosa porque agora você sabe que para ser mais feliz precisa largar o osso, Wilma. Não insista para que os outros façam as coisas do mesmo jeito que você faz (sobretudo pessoas mais próximas que já mostraram que não estão dispostas a isso) e observe em que pontos você está sendo ridiculamente exigente apenas porque isso se tornou um hábito, não porque é algo realmente necessário. Ainda, sempre se questione: "Eu posso deixar isso de lado?" Só quando nos tornarmos conscientes de nossos atos é que podemos investigá-los e depois optar por mantê-los ou deixá-los para trás em vez de reagirmos cegamente no modo automático.

COMO POSSO DEIXAR DE SER ASSIM?

Como tratamos no Capítulo 17, Fica muito mais fácil quando se descobre que não é difícil, não fazemos nada se não recebemos algo em troca, mesmo que seja um falso benefício. Considerando esse cenário, a rigidez tem alguns benefícios positivos, como nunca estar atrasado, sempre concluir tarefas etc. Mas a rigidez também possui algumas desvantagens: você intimida os outros a agirem à sua maneira, acha que está certo quando alguém faz algo errado (algo que acaba acontecendo com frequência se você realmente se aperfeiçoa na rigidez), você sempre tem que estar no controle etc. Só depois que sentir a pancada dessa falsa recompensa que recebe por manter essa atitude é que você poderá encará-la como realmente ela é – uma coisa que nem sempre está alinhada com o que você realmente é e aspira a ser – e libertar-se dela quando não estiver funcionando.

COMO EU ME SENTIRIA SE NÃO FOSSE ASSIM?

Um dos melhores meios de se liberar do comportamento ruim mencionado previamente é se perguntar como você se sentiria se isso deixasse de ser uma verdade para você. "Como eu me sentiria se deixasse de ligar se os outros estão fazendo as coisas exatamente como eu lhes digo para fazer, o tempo todo e em todas as circunstâncias?" Faça a pergunta e depois se imagine como essa pessoa que se libertou. Como é que seu corpo se sente? Como a sua mente se sente sem os pensamentos venenosos sobre as pessoas incompetentes que a cercam e que não seguem suas instruções? Sinta como seria se você se libertasse disso, respire e visualize o fato, apaixone--se por abrir mão dessa atitude e depois a mande para bem longe.

3. NÃO SEJA UM FACILITADOR

Nos casos mais confusos em que você não sabe ao certo o que fazer, mas quer realmente ajudar alguém, reconheça a diferença entre ajudar e facilitar. Quando você estende uma mão amiga, você se sente puxado para baixo ou está conduzindo esse alguém na direção de seu potencial? A pessoa sente-se grata ou é pretensiosa? Ela usa a sua ajuda para se mover em uma direção positiva ou sempre precisa de mais, e mais e mais? Só mais essa vez – pela quinquagésima vez.

Preste atenção e confie em sua intuição. Quando você ajuda alguém que está evoluindo, isso aumenta a frequência de ambos e você se sente bem. Mas quando você é um mero facilitador, você se sente pesado, deprimido e, eventualmente, fica ressentido. Embora não seja divertido abandonar alguém que já está na pior, se você livrar a barra dessa pessoa constantemente, ela nunca irá acordar e se salvar. E por que deveria? Você financia a dor dela. Amar com firmeza não significa amar menos.

4. DÊ ADEUS AOS SOFREDORES

Às vezes, não importa o quanto você trabalha em si mesmo, o quanto consegue perdoar e o quanto é desapegado. Não há solução: algumas pessoas são muito comprometidas com sua própria disfunção. É sofrido demais tê-las por perto. É preferível se cobrir com as pulgas de mil camelos a sair para tomar um café com esse tipo de pessoa.

Isso tudo tem a ver com aprender e amar e crescer para ser a melhor versão de si mesmo, não com o quanto de tortura você pode suportar. Então, além de saber como crescer em meio ao comportamento indigesto de pessoas que o cercam, também é importante saber como se afastar dessas pessoas, sejam elas cronicamente obcecadas por si mesmas, violentas, habituadas a culpar os outros, negativas, controladoras, ciumentas, dramáticas, manipuladoras, coitadinhas, choronas, pessimistas ou cruéis com os animais. Veja como:

PRIMEIRO, ALIMENTE SUA CABEÇA

Como já falamos, muitas vezes as pessoas que precisamos deixar de lado são aquelas que amamos ou pelo menos de quem gostamos porque elas têm aspectos positivos. Nesse caso, a boa e velha culpa pode entrar em nosso caminho, mesmo quando tentamos fazer a coisa certa. Portanto, seja forte. Encare o fato como positivo para você, não como negativo para o outro. Lembre-se de que você está emergindo para se tornar a melhor versão de si mesmo, não encolhendo até chegar ao nível do outro para só então sacudi-lo de sua perna.

DEPOIS EJETE

Outra coisa importante a lembrar quando se arranca ervas daninhas do jardim é não se envolver no drama delas. Corte o cordão do modo mais rápido e simples possível com pouca ou nenhuma discussão. Se elas são alheias aos seus sentimentos a ponto de você precisar excluí-las de sua vida, provavelmente não vão compreender o que está acontecendo. Então a discussão sobre a razão pela qual você precisa excluí-las poderá, se você permitir, durar o resto da vida. Mostre-se ocupado, desapareça, afaste-as sem dar nenhuma explicação. Quanto mais alto elas gritam, mais ocupado você se mostra.

Se conversar é inevitável, lembre-se: você já decidiu que quer cair fora. Então, não seja sugado até o ponto de ter que esmiuçar sua decisão ou seus problemas com essas pessoas. É só dizer que o relacionamento deixou de funcionar para você, que isso o deixa extremamente incomodado, que você tem que terminar com isso e que não está mais aberto a discussões. A decisão é apenas sua, sem deixar nada para que as outras pessoas possam argumentar em proveito delas.

5. AME A SI MESMO

Ferozmente, lealmente, sem pedir desculpas.

CAPÍTULO 22

A DOCE VIDA

É bárbaro estar aqui. É bárbaro estar em qualquer lugar.
— Keith Richards; deus do rock, conhecedor da vida

Meu gato tem 22 anos.

E meu pai está com 87.

Meu gato e meu pai partilham o mesmo poder de super-herói. Ambos têm a habilidade de me fazer prestar muita atenção neles e ser agradável com os dois como não sou com mais ninguém. Digo, ninguém que não esteja encarando sua mortalidade iminente.

Faz um ano que notei pela primeira vez que meu gato estava velho e podia morrer em breve. Foi durante a noite, quando toda a gordura corporal dele foi parar em sua região abdominal, fazendo-a balançar como uma teta de vaca e deixando-o com a espinha em estado de choque, irregular, estremecida e projetada para fora, como se estivesse se perguntando "ei, para onde foi todo mundo?". Foi aí que começaram as despedidas lacrimejantes a cada vez que eu saía de casa e uma ração úmida mais chique aparecia em sua tigela.

No caso do meu pai, telefonemas e voos de volta ao leste do país se intensificaram drasticamente. Agora, eu rio histericamente de todas as piadas dele, o que deve fazer com que ele se preocupe mais com o meu bem-estar do que o contrário.

Fico feliz em informar que, apesar da opinião do calendário, sim, eles envelheceram, mas ambos estão em plena atividade. Meu pai joga tênis uma vez por semana e ainda sabe quem sou eu, e meu gato ainda corre quando escuta o barulho do abridor de lata.

Eles também são excelentes lembretes: quando se trata de pessoas e de coisas que você ama e da vida que você ama, o que poderia ser mais importante neste mundo do que curti-los aqui e agora e enquanto você ainda tem a chance?

Se existe algo que você queira fazer, não espere até que fique menos ocupado, mais rico, mais "preparado" ou com dez quilos a menos. Comece agora. Você nunca mais será jovem novamente.

Se a questão são as pessoas que você ama, visite-as regularmente. Comporte-se como se aquela fosse a última vez em que vai vê-las. Ame-as, mesmo que às vezes elas encham o seu saco. Se você tem diferenças com elas, supere-as. Não fique tão preso a bobagens a ponto de perder a oportunidade de apreciar as pessoas que moram no seu coração.

Se você ainda não está onde pretende estar, siga em frente. Trate a si mesmo como o seu amigo mais próximo. Celebre o ser magnífico que você é. Não deixe ninguém brincar com você, com os seus sonhos, muito menos com tudo o que você é.

Sua vida está acontecendo agora. Não durma no ponto.

AME A SI MESMO

Enquanto você ainda tem chance.

PARTE 5

∞

Como arrasar de vez em quando

CAPÍTULO 23

A DECISÃO SOBERANA

Até que alguém se comprometa, há hesitação, oportunidade de recuar, ineficácia constante. Quando alguém se compromete definitivamente, a providência também se movimenta.

– W. H. Murray; explorador, alpinista, apreciador do comprometimento

Diz a história que, quando Henry Ford anunciou pela primeira vez o projeto do motor V-8, ele queria um motor que tivesse oito cilindros em um só bloco. Eu não sei o que isso significa, mas aparentemente era uma demanda complicada, porque sua equipe de engenheiros reagiu falando coisas como "você está maluco, meu filho?". Mas Ford determinou que eles fizessem como ele queria, a equipe saiu resmungando e depois retornou para informar que a tarefa era impossível.

Ao ouvir a notícia, Ford disse a eles que continuassem trabalhando pelo tempo que fosse preciso. Foi enfático: "Não quero ver a cara de vocês até que me tragam o que quero." E os engenheiros foram unânimes: "Nós acabamos de provar que isso não é possível." Ele replicou: "É possível e vai ser feito." Os engenheiros retrucaram: "Não é possível." Ele não arredou o pé: "É possível, sim." Então, todos os engenheiros afirmaram: "Não dá!" E Ford foi incisivo: "Se virem." Em seguida, os engenheiros saíram para trabalhar novamente, desta vez por um ano inteiro e... nada.

Eles então procuraram Ford em meio a lágrimas, apontando dedos e puxando os cabelos, e *de novo* Ford os fez retornar ao trabalho, determinando que fizessem tudo outra vez. Então, no laboratório, em certo momento entre dobrarem papel para fazer origâmis de cisne com suas anotações e fazer barulhos de pum a cada vez que ouviam a palavra "Ford", os engenheiros acabaram fazendo o impossível: construíram o bloco compacto de um motor com oito cilindros.

Isso é o que significa tomar uma *verdadeira* decisão.

Quando você toma uma decisão aparentemente sem sentido, você concorda e se mantém na direção de seu objetivo, independentemente do que é lançado em seu caminho. E certamente coisas são arremessadas, e por isso é tão crucial tomar uma decisão – os medrosos não têm vez aqui. No momento em que alguma coisa se torna difícil, cara, ou pode fazer você parecer um idiota, se não tiver tomado uma decisão, você acaba tirando o time de campo. Se não fosse desconfortável, todo mundo andaria por aí apaixonado por suas próprias vidas fabulosas.

•••

Muitas vezes fingimos que tomamos uma decisão, quando o que realmente fazemos é concordar em tentar até que as coisas se tornam desconfortáveis demais.

•••

Henry Ford, que só havia estudado até a 6ª série, comandava uma equipe com os melhores engenheiros do mundo, corria o risco de parecer um grande idiota pela quantidade de dinheiro e tempo que gastava para se contrapor ao que era comprovadamente impossível.

Ford estava determinado. Confiava no próprio instinto e em sua visão, que era mais ampla do que o pensamento estreito dos outros. Ele tinha tomado a decisão que construiria o motor do jeito que desejava e nada o impediria.

Por isso, a decisão é tão importante. Se por uma ideia sua você tivesse que se contrapor a pessoas que sabem mais do que você, determinando que seguissem suas ordens, apesar de todas as provas em contrário, você persistiria? Ou, se precisasse de muito dinheiro para começar um novo negócio, pediria um empréstimo à única pessoa disponível, mesmo que fosse seu tio rico e assustador que nunca soube o seu nome, apesar de você vê-lo no Natal todos os anos? Se você se sentisse mal por estar gordo, nada atraente e fora de forma, mas a única hora que tivesse para ir à academia fosse às 5h, você iria, mesmo nas manhãs congelantes de inverno quando tudo que se quer é continuar na cama? Se você toma a *decisão* de atingir os seus objetivos, você precisa fazer o que é preciso fazer. Por outro lado, se você quer tomar uma decisão firme, mas não o faz, você deixa rolar e começa a se convencer de que sua vida está boa do jeito que é.

Por isso é tão crucial se conectar com o próprio desejo e com a Energia Primordial, e ter a inabalável convicção do que ainda não foi visto. Muitas vezes, uma ideia brilhante que fracassa temporariamente nos empurra para um território desconhecido. Sem uma ligação forte com a verdade – de que vivemos num Universo abundante, somos extraordinários, gloriosos, adoráveis etc. –, um desejo intenso e uma convicção inabalável em nossa própria visão, antes mesmo que isso tudo se manifeste, tornamo-nos reféns dos nossos medos ou dos medos alheios de que nossa ideia é impraticável. Assim, acabamos por desistir em vez de corrigir o curso, insistir e ver o resultado acontecer. Como Winston Churchill habilmente explicou: "O sucesso consiste em passar de um fracasso a outro sem perder o entusiasmo."

•••
Ninguém chega ao topo da montanha sem cair seguidas vezes.
•••

A propósito, quando Henry Ford insistiu com sua equipe de engenheiros irritados que o motor V-8 poderia ser construído conforme ele havia concebido, isso se deu depois de ele ter ido à falência em sua primeira tentativa de montar um império automobilístico. Na época, embora já tivesse *provas* de que poderia fracassar em grande escala, ele manteve a fé em si mesmo e, com uma visão firme, tornou-se um dos empresários mais bem-sucedidos de todos os tempos, apesar de todas as provas que indicavam que ele não era mais do que um tremendo perdedor.

Fracassar temporariamente acontece o tempo todo. Vários caras legais já passaram por isso:

• Michael Jordan foi cortado do time de basquete da escola por falta de habilidade.

• Steven Spielberg foi rejeitado três vezes ao tentar entrar na faculdade de cinema.

• Thomas Edison, que foi considerado idiota demais para aprender qualquer coisa por um professor, fez mais de nove mil experimentos antes de criar a lâmpada.

- Soichiro Honda, fundador da Honda Motor Company, foi recusado pela Toyota para uma vaga de engenheiro e por isso abriu sua própria empresa.

- Beethoven, segundo seu professor de música, não tinha talento e, mais especificamente, não levava nenhum jeito para ser compositor. Beethoven se fez de surdo. (Eu sei, essa foi péssima. Desculpe.)

- Fred Smith escreveu um artigo enquanto estudava em Yale sobre sua grande ideia para um serviço de entregas expressas. Ele recebeu uma nota C. Mas foi em frente e acabou criando a FedEx.

• •

Desistir é o único fracasso. Todo o resto é reunir informações.

• •

Não há grande mistério nisso: se você deseja alguma coisa de coração e decide que vai ser capaz, você conseguirá. Você já fez isso antes: perdeu peso, conseguiu um emprego, comprou uma casa, cortou um hábito ruim, entrou em forma, convidou alguém para sair, pagou uma fortuna por um bilhete na primeira fila, deixou crescer a franja. Você precisa apenas se lembrar de que pode fazer isso com qualquer outra coisa na vida, *mesmo com aquelas que agora lhe parecem fora de alcance.*

Muitas pessoas no mundo vivem o tipo de vida que você apenas sonha em viver, e muitos são menos fabulosos e talentosos que você. A chave do sucesso é que eles decidiram batalhar pelo que sonhavam, deixaram de ouvir as próprias desculpas esfarrapadas, cortaram os hábitos ruins e botaram pra quebrar.

Eis como você também pode fazer o mesmo:

1. DESEJE ARDENTEMENTE

Você precisa ter um gorila de dez toneladas de desejo por trás da sua decisão, senão vai começar a resmungar no segundo em que as coisas ficarem difíceis. É como as pessoas que parecem muito a fim de parar de fumar quando realmente não querem ou as que tentam perder peso, mas preferem comer uma pizza a conseguir enxergar os próprios pés quando olham para baixo. Isso nunca funciona. Alguns meses atrás, eu me arrastei para uma aula de ioga durante uma semana inteira, embora estivesse sem a menor vontade de ir. Paguei pela aula, sentei no tapetinho e de repente me surpreendi ao levantar a mão quando a instrutora perguntou se alguém tinha alguma lesão que deveria mencionar. Foi quando me ouvi explicando que tinha acabado de tirar o gesso de um cotovelo fraturado e que precisava pegar leve na aula. Eu sou adulta. Eu sou muito ocupada. Gastei dinheiro naquela aula e menti para não ter que participar dela. (Eu realmente tinha machucado o cotovelo, mas havia tirado o gesso uns oito meses antes.) Passei grande parte da semana de ioga cochilando tranquilamente no meu tapetinho e fazendo a minha melhor cara de "encolhendo-me de dor", caso ela olhasse para mim enquanto eu fingia que fazia a posição do "cachorro olhando para baixo". Foi ridículo.

Se está disposto a superar grandes obstáculos para atingir um objetivo, você não pode simplesmente querer por querer. Você tem que estar totalmente entusiasmado pelo que pretende alcançar e morder sua meta igual a um pit-bull. Para isso, você precisa ter a audácia de ser honesto sobre o que realmente quer fazer, não sobre o que *deve* fazer, acreditar que isso está ao seu alcance, apesar de possíveis provas em contrário, e se jogar de cabeça.

2. FIQUE BOM NISSO!

Decidir significa literalmente *cortar*. Não é de admirar que tanta gente se apavore por conta disso! O terror de tomar uma decisão errada pode ser devastador para as pessoas que cultivam alguns hábitos como:

A) Balançar para a frente e para trás, paralisado pela dúvida e pelo terror, finalmente tomando uma decisão só para mudar de ideia repetidas vezes.

B) Tomar decisões apressadas, sem pensar direito ou digeri-las, com o principal objetivo de escapar do desconforto e acabar logo com aquilo.

C) Ter medo de escolher uma coisa e perder a outra. A pessoa que pensa assim ou escolhe não fazer nada ou tenta fazer de tudo – e ambos são uma boa forma de deixar passar uma oportunidade. Elas basicamente decidem não tomar uma decisão porque não querem tomar uma decisão errada. Então, que se divirtam!

•••
Decisão é liberdade. Indecisão é tortura.
•••

A indecisão é um dos truques mais populares para ficar preso nos limites do que é seguro e familiar. E, por isso, uma característica comum a pessoas bem-sucedidas é tomar decisões rápidas e mudá-las lentamente. Quando digo rápidas, não quero dizer que você deve saber exatamente o que fazer quando toma uma decisão (embora algumas pessoas saibam), e sim que você deve encarar prontamente a coisa e começar a trabalhar no seu processo de tomada de decisão, seja ele qual for: fazer uma lista de prós e contras, se decidir depois de uma noite de sono ouvir seus sentimentos etc.

Se você é indeciso ou prefere evitar o processo como um todo, o melhor a fazer é praticar com pequenas coisas para fortalecer o músculo da tomada de decisão. Nos restaurantes, escolha um prato do cardápio em menos de 30 segundos. Depois de escolher, não mude de ideia ou de pedido. Entre na internet por 20 minutos e pesquise o melhor espremedor de alho. Então faça a compra. Pegue produtos nas prateleiras do supermercado em menos de dez segundos. Pare com esse hábito de estar sempre surpreso ou assustado como um animal prestes a ser atropelado – acorde e tome uma decisão!

Se você é do tipo que precisa de uma noite de sono antes de tomar uma decisão ou se mastiga a ideia aos poucos, estabeleça um limite de prazo. Não deixe a decisão em aberto para não correr o risco de acordar 40 anos depois, finalmente seguro do que fazer, mas muito longe da oportunidade do passado. Preste atenção no tempo que você leva para decidir (uma noite, uma semana, um mês) e se obrigue a cumprir o prazo.

Se você toma decisões instantâneas, conecte-se com sua intuição e confie plenamente no que ela diz (independentemente do que o seu cérebro esteja berrando nesse momento). Fique em silêncio, ouça e sinta a resposta e experimente agir no primeiro e sólido impulso.

Seja você quem for, pare de dizer que você é patético para tomar decisões. Apague a frase "eu não sei" do seu vocabulário, substituindo-a por "logo saberei o que fazer". Escolha tornar-se a pessoa que toma decisões rápidas e inteligentes, e certamente você vai conseguir.

3. ELIMINE AS NEGOCIAÇÕES

Quando decidi parar de fumar, se eu pensasse algo como "Que mal só um cigarrinho pode fazer?" só de brincadeira, eu estaria em apuros. Nossas decisões devem ser explícitas, claras, porque as desculpas se infiltram pelas pequenas rachaduras da nossa determinação e, antes mesmo de perceber, estaremos em maus lençóis.

•••
Decisões não são negociáveis.
•••

A sua antiga versão, aquela que ainda não decidiu chutar o pau da barraca, está no passado. Fique no presente e não olhe para trás nem mesmo por um segundo. Não se distraia com ideias que o afastem da decisão tomada. Pense apenas no seu "novo eu".

A grande questão de enfim se decidir é parar de perder tempo e seguir em frente, pois assim você *não* tem tempo para descobrir como pode cair fora da decisão! O que me ajudou a pensar no assunto dessa maneira foi: "Eu não vou para casa para negociar se devo ou não fumar um cigarro, assim como não vou para casa negociar se devo ou não cheirar tranquilizante de cavalo." Eu não negocio se devo cheirar ketamina (que é o tranquilizante para cavalos) porque eu não cheiro ketamina. Agora, como parei de fumar, não vou negociar se devo fumar, porque eu simplesmente *parei de fumar.*

4. NÃO MUDE DE IDEIA

Eu escrevia para uma revista empresarial em que entrevistava empresários muitíssimo bem-sucedidos. Sempre que perguntava qual era o segredo do sucesso deles, a esmagadora maioria respondia: "tenacidade." Ser a última pessoa que resta em pé. Derrubar obstáculos, desculpas, medos e dúvidas até que essas coisas se tornem algo como:

"Você? De novo? Meu Deus, tudo bem, mas agora dê o fora daqui."

Dar à luz aos seus sonhos é... dar à luz. Conceber a ideia é a parte divertida (espero). Depois, você passa por grandes fluxos insanos de medo e emoção, sonhando, planejando, vomitando, crescendo, pensando que enlouqueceu e que está fabuloso, esticando e mudando de forma, até que você se torna quase irreconhecível para os outros e para si mesmo. Ao longo do caminho, você limpa vômito, faz massagens para as dores nas costas melhorarem e pede desculpas a todos cujas cabeças você cortou durante uma matança causada pela mudança hormonal. Mas você mantém o curso porque *sabe* que seu bebê será *incrível*.

Por fim, você enxerga uma luz no fim do túnel, e o trabalho de parto começa. Suas vísceras se contorcem e o estrangulam e o forçam a se curvar como uma letra C enquanto você respira, reza e dispara xingamentos. E, justamente quando você pensa que não aguenta mais tanta dor, *a cabeça de um bebê se espreme para fora de um pequeno buraco no seu corpo.*

Em seguida, ocorre um milagre.

Se você quer mudar de vida e começar a viver como nunca viveu, a sua fé em si mesmo e em milagres deve ser maior do que o seu medo.

Não importa que o parto tenha sido fácil ou complicado, esteja disposto a cair, levantar, fazer papel de idiota, chorar, rir, fazer uma bagunça, limpá-la e nunca parar até chegar aonde quer.

Custe o que custar.

5. AME A SI MESMO

Você pode fazer qualquer coisa.

CAPÍTULO 24

DINHEIRO, O SEU NOVO MELHOR AMIGO

Trabalhei por um salário de escravo
Apenas para saber, consternado,
Que qualquer salário que pedisse para a vida
A vida teria pagado de bom grado.

– **Autor desconhecido**

Faz muitos anos que uma tempestade implacável atingiu a cidade de Los Angeles como eu nunca tinha visto. Choveu torrencialmente durante o que pareceu ser quarenta dias e quarenta noites. Rios transbordaram. Casas deslizaram pelas encostas abaixo. E a tragédia trouxe o caos para a cidade mais autoconsciente da própria imagem que existe neste mundo.

Ninguém gostaria de estar ao volante de um carro durante esse tipo de chuva, muito menos de um conversível caindo aos pedaços com goteiras na capota, sem aquecimento, uma janela traseira fechada com fita adesiva e com um dos pneus dianteiros esvaziando a cada três dias.

Fazia tempo que eu tentava comprar outro carro e nenhum me agradava ou cabia no meu orçamento, mas quando o banco do motorista alagou enquanto eu seguia para o supermercado sentada em cima de um saco de lixo e com uma camiseta velha amarrada à porta para impedir a entrada de água ocorreu-me que talvez fosse preciso acelerar a minha pesquisa.

Na época, eu não tinha muito dinheiro, mas tinha meu próprio negócio e tentava fazê-lo crescer. O problema é que me sentia presa naquele lugar em que, mesmo querendo o melhor para mim financeiramente e sentindo-me mais forte e realizada em geral, eu poderia perder todos os meus clientes se aumentasse o preço pelo meu trabalho. E também o respeito próprio. Isso se não ficasse conhecida como mercenária ou como uma fraude que não tinha o direito de cobrar tanto assim. Também me assustava o fato de que, se eu resolvesse dar um *up* de verdade no negócio, eu não saberia lidar com isso, teria que contratar muita gente, perderia tempo fazendo coisas que odiava e me tornaria tão ocupada que nunca mais poderia viajar e acabaria envelhecendo e morrendo sentada atrás de um computador, e eu veria a diversão e a liberdade sumindo para sempre no retrovisor do meu carro, blá-blá-blá. Eu poderia encher quatro páginas com as razões pelas quais eu estava naquela posição, mas basta dizer que eu estava no nível de alguém que dirigia um carro como aquele conversível caindo aos pedaços.

A parte mais dolorosa é que, apesar de todos os sinais que apontavam para "Sem grana", "Sem noção" e "Empacada", no fundo eu sabia que podia me sair BEM melhor. Por isso, embora o som dos grilos ecoasse em minha conta bancária vazia, eu dei umas voltas numa concessionária de carros Audi até pegar o novo Q5 para dar uma voltinha e deixar o vendedor tagarelar não sei o que lá sobre o couro e não sei o que lá *premium*.

Enquanto isso, eu pensava: "Você tem alguma ideia de *quem* sou eu? Só estou dando uma volta na terra da fantasia antes de retornar para o meu Honda." Mas, no fundo do meu coração, eu sabia. Lá no fundo eu sabia que a questão ali era muito maior do que apenas um carro.

Eu não seria mais o tipo de pessoa que pega o que consegue, e finalmente me tornaria o tipo de pessoa que cria exatamente o que quer.

Foi demais, rapaz! E justamente porque um lado meu morria de medo de crescer enquanto o outro queria explodir de tão alto que iria ficar, e também porque eu gostava de dirigir mais do que gostava de comer, passei semanas me torturando a respeito de qual carro compraria. Finalmente, sobraram duas opções.

O Honda CRV, um excelente e pequeno utilitário com os seguintes atributos:

- Milhagem de combustível, ok

- Teto solar

- Espaço para os amigos

- Conforto

- Um som bacana

- Razoavelmente divertido de dirigir

- Preço decente

Ou:
O Audi Q5, um tablete de manteiga sobre quatro rodas com os seguintes atributos:

- Milhagem de combustível, ok

- Um teto solar que era o teto inteiro do carro

- Espaço para os amigos – grandes, gordos e altos

- Bancos de couro com os quais você poderia fazer sexo

- Um som projetado por Deus, Ele mesmo

- Um coro de anjos que cantava ao abrir das portas

- Sexy, extravagante, caro, pretensioso, apavorante

Cheguei muito perto de comprar o Honda, mas quando fiz o *test drive* pela décima vez, na tentativa de me convencer que aquele era "o" carro, não consegui afastar a verdade inconveniente de que estava apaixonada pelo outro. Comprar o Honda teria sido sensato, mas eu sabia que a aventura, o amor verdadeiro e um estilo novo de vida me esperavam do outro lado da minha zona de conforto.

É sobre isso que falaremos agora: detonar a zona de conforto. Claro que comprar o Audi me faria acordar aos gritos no meio da noite porque ele custaria um montante que eu normalmente consideraria gastar apenas em coisas como uma cirurgia cardíaca obrigatória, não com algo tão frívolo como um carro. Mas eu o comprei e dormi como um bebê, pois, depois que tomei a decisão de comprá-lo, também decidi superar as minhas frescuras e me tornar o tipo de pessoa que ganha dinheiro para comprar aquele tipo de carro ou que pode fazer o que bem entender. Arrumei um jeito de saldar a dívida do Audi quase num piscar de olhos, e tenho certeza de que, se tivesse comprado o Honda, ainda estaria lutando para pagá-lo. Porque eu ainda estaria pensando pequeno, ainda estaria orbitando na mentalidade de que não poderia pagar aquele preço, que sou o tipo de pessoa que tem que lutar muito para conseguir qualquer coisa, que não poderia sair do meu casulo em busca de algo "fora do meu alcance" e por aí vai.

• •
Quando você eleva o nível da sua ideia sobre o que é possível e decide correr atrás, você também se abre para os meios de obtê-la.
• •

Isso não quer dizer sair por aí e gastar todo o seu dinheiro em porcarias de modo imprudente. Eu estou falando de *expandir suas convicções a respeito do que está disponível para você em todos os aspectos da vida*. E para os efeitos deste capítulo vou me concentrar em que tipo de dinheiro você acredita estar ao seu alcance para comprar as coisas e as experiências realmente desejadas.

É irrelevante se neste momento você tem ou não dinheiro em sua conta bancária (eu não tinha quando comprei o meu novo carro). Quando você se dispõe a jogar um grande jogo, ou seja, largar um emprego monótono e investir no seu próprio negócio, comprar uma casa, matricular os filhos em escolas particulares, contratar um *coach* ou uma faxineira, adquirir um novo colchão etc., ou você paga por essas coisas com o dinheiro que tem, ou manifesta o desejo de tê-lo. E fazer essa manifestação será muito difícil se você insistir em dizer que não tem mesmo dinheiro ou que não poderia pegá-lo emprestado porque não tem condições de pagar.

Para mudar de vida, talvez você tenha que gastar toda a sua grana, fazer um empréstimo, vender alguma coisa, pedir emprestado a um amigo, usar o cartão de crédito ou manifestar-se de alguma outra maneira. Tais atitudes se contrapõem a uma crença bastante arraigada de que é uma irresponsabilidade contrair dívidas (a menos que sejam empréstimos estudantis, claro, já que por alguma razão decidimos que nesse caso, somente nesse caso, está tudo bem). Trata-se de dar um salto de fé em direção a um novo campo *onde você deseja imensamente estar*, e de exigir de si mesmo fazer jus à ocasião e começar a viver a vida aqui e agora.

Depois de dar um grande salto para a terra dos carros luxuosos, pela primeira vez na vida o meu negócio passou a valer seis dígitos, eu comecei a viajar pelo mundo regularmente, assinei contrato para um terceiro livro, fiz grandes doações (porque quis) para causas que me empolgavam e também ajudei meus clientes a bater recordes pessoais semelhantes.

Eis o segredo: ganhar dinheiro não tem a ver apenas com dinheiro, assim como perder peso não tem a ver apenas com perder peso, e encontrar sua alma gêmea não tem a ver apenas com encontrar sua alma gêmea. Tudo está relacionado a quem você se torna e com aquilo que você acredita ser possível para si.

Dinheiro é a moeda corrente, e a moeda corrente é energia.

Como já falamos, vivemos em um Universo que vibra com energia. Nosso Universo é abundante e tudo que você deseja está aqui e agora, esperando que você mude de percepção e energia para receber tudo o que deseja – incluindo dinheiro.

 Dinheiro é uma energia como qualquer outra, e quando você opera em uma alta frequência, sem resistências, tomando as atitudes certas, você pode manifestar o dinheiro que deseja. Aprendemos durante toda a vida que precisamos trabalhar para ganhar dinheiro, mas o que não aprendemos é que também devemos alinhar a nossa energia com a abundância financeira desejada. Em outras palavras, comece a agir como se estivesse onde quer estar; deixe de sair com gente derrotada e com quem só sabe reclamar que está na pindaíba. Apague as palavras "não posso" do seu vocabulário, visualize o que você deseja, defina metas, exija de si mesmo tornar-se quem você precisa ser para criar a vida que tanto quer. Nossa relação com o dinheiro é tão importante quanto as atitudes que tomamos para manifestá-lo. É por isso que muita gente trabalha como um burro de carga por toda a vida, mas, por ter uma energia ruim quando se trata de dinheiro, não consegue aproveitá-lo e termina sem nada.

 Eis um pequeno diálogo unilateral que pode soar familiar para você (ou não):

 Oba! Sim, eu também acho que é legal sair com você. Opa, como é? Você acha que eu sou a raiz de todo mal? Como pode dizer isso? Você vive dizendo que gostaria de ter mais de mim. Se bem que você tem medo de admitir que gosta de mim. E diz que não estou nem aí para você. Você acha que as pessoas que gostam de mim são porcos gananciosos, mas fica extasiado toda vez que apareço. Você trabalha muito para me ter, porém, eu o mantenho em um estado constante de preocupação. Você odeia lidar comigo. Nada do que faço é suficiente. Ora você age como se fosse morrer sem mim, ora age como se eu fizesse você se sentir uma prostituta imunda. Quer saber? Já chega! Até mais, sua maluca.

 Considerando que isso, ou alguma versão disso, seja o tipo de relacionamento que a maioria das pessoas tem com o dinheiro, não me parece que a questão seja: "Por que não ganhamos a quantidade de dinheiro que queremos?" Talvez a pergunta seja esta: "Como esperamos fazer isso?" Tais sentimentos conflitantes em torno do dinheiro chegam a transformá-lo em uma atração circense, rivalizando apenas com os shows de horrores que envolvem a religião e o sexo. Todos estão tomados por problemas, ansiedades e estagnações, crenças ferrenhas que fazem com que os três tragam muita tristeza para o mundo. Enquanto isso, se todos esfriassem a cabeça, tanto o sexo quanto o dinheiro e a religião seriam grandes motivos de alegria.

Nós somos uns tontos, não somos?

Para trazermos o dinheiro alegremente para nossas vidas, precisamos entender que temos um relacionamento com ele e tratá-lo como qualquer outro relacionamento importante e significativo: é preciso prestar atenção no dinheiro, desejá-lo, alimentá-lo, se esforçar para tê-lo, respeitá-lo, estimá-lo, amá-lo, etc.

Livrar-se do medo e do ódio (consciente ou inconsciente) pelo dinheiro é essencial para ganhá-lo. Durante muito tempo, eu me orgulhei de minha extrema pobreza, como se a busca por arte e diversão e altruísmo fosse mais nobre do que as pessoas que desperdiçam suas vidas correndo atrás de dinheiro. Eu nunca sacrificaria a minha vida maravilhosa para perseguir o vil metal! Não, em vez disso, eu escolheria entre ter um plano de saúde ou um lugar para viver. Eu gastava um tempo precioso (que poderia usar para, hum, ganhar dinheiro?) dirigindo por trinta quadras a mais até um posto de gasolina onde pouparia três centavos de dólar por galão, garimpava roupas boas numa pilha de peças usadas em um brechó, colecionava cupons de desconto, caçava promoções; pesquisava bares que ofereciam comida gratuita durante o *happy hour*; enfim, coisas produtivas como essas. De tanto tentar fazer do dinheiro uma parte insignificante da minha vida, eu basicamente pensava nele muito mais do que qualquer pessoa que estivesse em melhor situação financeira pensaria.

O que não sabia é que o dinheiro não é situação de "e/ou". Eu poderia ganhar muita grana, me manter íntegra, me divertir, fazer mais arte, ajudar mais pessoas e fazer uma grande diferença no mundo.

Oh!

Eu só precisava me situar. Precisava parar de trabalhar com a equação de que desejar/ter dinheiro = ser um filho da mãe ganancioso. E eu precisava ter um plano para isso.

PRIMEIRA REGRA PARA A CONSCIÊNCIA DA RIQUEZA: EMERGIR DE UM LUGAR DE ABUNDÂNCIA, NÃO DE AUSÊNCIA

Quando dizemos que queremos dinheiro, geralmente dizemos isso a partir do seguinte lugar: "Eu não tenho dinheiro, ele não existe; então preciso ganhar dinheiro". Assim, nos concentramos e acreditamos na ausência, o que reduz nossa frequência e atrai mais ausência.

Quando dizemos "Vou ganhar cinco mil para viajar para a Itália, pode acreditar em mim", nossa fé no que ainda não foi visto se fortalece e nossa frequência se eleva. Assim, o mesmo ocorre com nossa capacidade de atrair dinheiro. Ao comprar aquele carro, me obriguei a enfrentar os meus próprios medos e fortalecer a minha fé porque o comprei *antes* de ter provas de que o dinheiro apareceria. *Eu não vejo o dinheiro, mas acredito que ele existe e ele vai ser meu, caramba!*

A abundância está disponível para todos, inclusive para você, a despeito do que você estiver passando atualmente. Certas pessoas nascem em berço de ouro, repletas de fundos fiduciários, conexões, oportunidades e educação de primeira linha. Algumas delas depois conseguem grande sucesso financeiro, enquanto outras, não. Outras pessoas nascem na pobreza extrema e vivem em casas feitas de caixas de papelão nas ruas. Algumas delas depois conseguem grande sucesso financeiro, e outras, não.

Embora seus obstáculos e impressões da primeira infância sobre o dinheiro sejam bem diferentes, os que alcançam sucesso compartilham algo fundamental em comum: a convicção de que podem ser, fazer e ter o que se determinam a alcançar.

•••
As suas convicções guardam a chave do seu sucesso financeiro.
•••

Acredite que você pode obter o que deseja, que isso existe de verdade, e em seguida saia por aí e corra atrás. Só depois de entender que vivemos em um Universo abundante é que você poderá se livrar da crença limitadora de que você serve melhor ao mundo sem tomar muito para si ou sem prosperar demais. Essa forma pequena de pensar acaba segurando os presentes das pessoas que deveriam recebê-los, inclusive você. Já imaginou se os seus músicos favoritos nunca se permitissem ganhar dinheiro para comprar guitarras, para ter aulas, contratar produtores, para comprar botas de plataforma roxas e calças brilhantes apertadas ou para pagar milhares de dólares em sessões nos estúdios onde eles gravaram as músicas que salvaram sua vida no ensino médio? E se os construtores de aviões se recusassem a ganhar dinheiro para pagar as pesquisas, os materiais, as fábricas, os engenheiros, a eletricidade e a infinidade de outras coisas caras e necessárias para construir as milagrosas máquinas voadoras que nos permitem viajar pelo mundo, passar férias em praias tropicais e visitar as pessoas que tanto amamos?

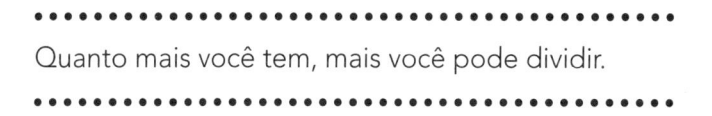

●●
Quanto mais você tem, mais você pode dividir.
●●

Existe dinheiro suficiente para todos e deixar de ganhá-lo não faz com que outras pessoas poupem mais, assim como ter dinheiro não é um impedimento para que outros também tenham. Você só deve se sentir mal por aceitar dinheiro por um produto ou serviço se estiver dando um golpe (deixando de fazer algo ou não entregando o combinado) ou se provocar algum dano. A questão é contribuir para tornar a vida mais fácil, mais feliz, mais segura, mais saudável, mais saborosa, mais bonita, mais divertida, mais interessante, mais reflexiva, mais adorável – não importa o que você faça, venha para a festa. Se você é íntegro, qualquer sentimento ruim de que você não merece a riqueza desejada é um desperdício de tempo. Assim como qualquer ideia maluca que você tenha sobre o dinheiro propriamente dito é um desperdício de tempo. Os gananciosos ganham dinheiro por pura ganância, de modo que você não pode jogar isso na cara do dinheiro e muito menos culpá-lo porque outras pessoas não agiram certo.

Aqui vai uma pequena e brilhante reflexão sobre o tema, feita pela escritora e palestrante Marianne Williamson, que ouvi recentemente em uma de suas palestras:

"Ter dinheiro é como ter qualquer outra coisa; é uma ferramenta. Se você vê o dinheiro dessa maneira, não pensando somente em si mesmo, mas em um meio como você pode fazer parte da dinâmica na qual o dinheiro é usado para o aprimoramento de todas as coisas, então ter dinheiro não é só uma bênção, é uma responsabilidade."

Ter dinheiro é uma responsabilidade! Deixe o seu "eu" que criticava o dinheiro pensar nisso por um tempinho.

SEGUNDA REGRA PARA A CONSCIÊNCIA DA RIQUEZA: DEIXAR SUAS INTENÇÕES BEM CLARAS

Escreva algumas linhas sobre como você se sente a respeito do dinheiro. Seja bem claro sobre seus pensamentos mais loucos. Confie em mim, se você está sem grana, é claro que nutre ideias malucas sobre o assunto. Escreva algo assim:

A verdade é que realmente não confio no dinheiro. Eu quero ter bastante para fazer o que bem entender, quero fazer grandes mudanças no mundo, mas não acredito que terei dinheiro um dia. E, se isso acontecer, ele não vai durar. Porque nunca dura. Eu me sinto muito mal por precisar de dinheiro. Acho que aqueles que ganham dinheiro são maus e têm prioridades ruins. Então, ignoro o dinheiro porque simplesmente odeio lidar com ele. Eu não saberia o que fazer com ele se de alguma forma o ganhasse.

Caso seja mais fácil, faça de conta que você está escrevendo uma carta para o dinheiro, como se ele fosse uma pessoa, e coloque o papel em algum lugar visível para você.

Em seguida divida o texto frase por frase e exponha o seu drama com o dinheiro como se desempenhasse um papel digno de um prêmio. Use, por exemplo, o parágrafo acima:

Mas não acredito que terei dinheiro um dia. Você alguma vez já teve? Espero que sim. Pode se lembrar da época e do montante específico que recebeu e do quanto a experiência foi útil e agradável? *Sim. Fui designer gráfico por cinco anos. Comecei com uma série de projetos muito legais com ótimas pessoas e ganhei um bom dinheiro.* Houve outras vezes?

Você já teve outros empregos, recebeu gratificações financeiras ou dividendos? *Sim.* Pode listar de cinco a dez ocasiões significativas em que ganhou dinheiro? *Posso.* Então, se você ganhou dinheiro todas essas vezes, acha que pode ganhar novamente? *Posso, sim.* Você é capaz de mudar a crença de que "não vou ganhar dinheiro" para "vou ganhar dinheiro, sim"? *Claro que sou.*

E já que encarou a verdade concentre-se no dinheiro chegando a você. Imagine-se recebendo todo o dinheiro de que precisa, pense em como vai gastá-lo e acredite nisso fortemente. Mude essa história de "eu não ganho dinheiro" para "ganho dinheiro o tempo todo". Faça disso uma afirmação que você possa repetir a qualquer momento, mentalmente ou em voz alta, e depois a escreva, releia algumas vezes, cole-a com fita adesiva no espelho do banheiro etc. Faça-a entrar no seu cérebro e nos seus ossos.

Outro exemplo:

Eu me sinto muito mal por precisar de dinheiro. Por quê? *Porque nunca tenho o suficiente para fazer o que quero.* Isso é verdade? Você nunca teve dinheiro suficiente para fazer o que quer? *Bem, eu tive dinheiro em alguns momentos.* Então, é verdade que você nunca tem dinheiro o bastante para fazer o que quer? *Não.* E, quando você tem o dinheiro de que precisa para fazer o que deseja, você se sente mal por precisar dele? *Na verdade, não.* Como você se sente quando tem dinheiro e o gasta em algo que queria muito comprar para si mesmo ou para outra pessoa? *Na verdade, me sinto muito bem.* Então, é verdade que você se sente muito mal por precisar dele? *Não.*

Agora que você se flagrou em sua grande mentira, concentre-se em gastar dinheiro em abundância consigo mesmo, ou com as pessoas que você ama, ou com alguma causa que apoie, ou com qualquer coisa, e acredite nisso *do fundo* do coração. Imagine-se recebendo dinheiro e sinta-se pleno de gratidão por isso. Sinta-se pleno de gratidão porque o dinheiro é uma ferramenta que faz você se sentir muito bem. Substitua essa história de "eu me sinto muito mal por precisar de dinheiro" por "agradeço ao dinheiro por me ajudar a viver uma vida tão incrível".

Comece a curar o seu relacionamento com o dinheiro. Sente esse seu bumbum endividado numa cadeira, escreva uma carta para o dinheiro e divida o texto, frase por frase, como fiz acima (FAÇA ISSO de verdade, por favor). Elabore novas afirmações sobre o tema. Repita-as e acredite nelas de coração. Ande pela casa pensando que gosta, gosta muito de dinheiro. (Ter lido isso deixou você com certa vontade de vomitar?)

Você está começando uma batalha contra algumas crenças profundamente enraizadas. O dinheiro é um fardo para a maioria das pessoas. Portanto, se quiser superar seus problemas e começar a ganhar dinheiro, *gaste tempo com isso*. Você está reescrevendo uma história escrita com sangue, tanto por você quanto por gerações anteriores, uma história que você assimilou ao longo da vida. Por isso será necessário algum esforço para reescrevê-la e começar a vivê-la.

TERCEIRA REGRA PARA A CONSCIÊNCIA DA RIQUEZA: ESCLAREÇA QUAL É O SEU DESEJO

Todos nós precisamos de dinheiro para comer, comprar roupas, água, remédios, ter uma casa etc. Mas quando o dinheiro vai além da sobrevivência básica e nós entramos na questão de quanto dinheiro "precisamos", sentimos culpa, julgamentos e terror sobre o que significa ter dinheiro e sobre o que poderão pensar de nós se o ganharmos, é aqui que começa toda a confusão.

Claro, ninguém "necessita" de mais do que o básico para sobreviver, mas, se estamos falando de florescer para a expressão completa da melhor versão de nós mesmos no Universo abundante, nós necessitamos, sim. Também é por isso que, eu suponho, você está lendo este livro em vez de outro que ensina a distinguir frutas comestíveis de frutas venenosas. Não se trata apenas de sobreviver, você também quer prosperar em *todas* as áreas de sua vida, inclusive na financeira.

Ser rico significa possuir recursos para proporcionar tudo de que se necessita, que se deseja, e dividir seus dons com o mundo, como a versão melhor e mais fera de si mesmo, ou seja, ser rico no sentido psicológico, espiritual e energético, assim como no material. Digamos que você tenha sua própria empresa de vestuário. Você precisa de dinheiro para ter um espaço para criar seus projetos, pagar materiais, fabricação, transporte, salários, marketing e demais despesas para o funcionamento do negócio.

Isso é óbvio. Mas você também precisa se sentir bem, saudável e feliz para poder fazer um trabalho de qualidade e oferecer os melhores produtos para seus clientes. Talvez você precise viver e trabalhar em um lugar adorável e inspirador, ou contratar assistentes para não se sobrecarregar e se tornar pouco produtivo, ou fazer coisas que o deixam feliz, como viajar, jantar com os amigos, frequentar uma academia, ter um cachorrinho ou comprar narizes de palhaço para todo o pessoal do escritório. Talvez você queira dar 20% de sua renda para apoiar a perfuração de poços de água na África ou contratar mais funcionários para ter mais tempo e se dedicar a trabalhos de caridade. TUDO isso conta. Não se sentir merecedor de coisas que o tornam mais feliz e melhor como pessoa porque é uma demonstração de ganância ou pedir demais acaba sendo prejudicial porque você deixa de receber apoio e, por consequência, também deixa de compartilhar sua frequência mais alta com o mundo.

Dê o seu melhor, faça o seu melhor, exija o melhor, espere o melhor, receba o melhor e ponha o seu melhor à disposição do mundo porque assim todos também podem receber o seu melhor.

Pense nisso da seguinte maneira: você prefere coexistir com pessoas felizes que se cuidam, que aspiram a ser a melhor versão de si mesmas, ou prefere conviver com pessoas medrosas, envergonhadas, mesquinhas e que limitam a si mesmas? O que cada um desses cenários faria com a *sua* energia?

•••
Uma das melhores coisas que você pode fazer para aprimorar o mundo é se aprimorar.
•••

É um esforço de base. Então, se você precisa de dinheiro para melhorar de vida, supere isso agora mesmo e mexa-se para ganhá-lo. Até porque isso não diz respeito apenas a você, certo?

Para ganhar dinheiro, seja bem sincero sobre o tipo de vida que o deixará realmente feliz. E seja honesto. Que tipo de experiências e posses poderão apoiá-lo no trabalho que você quer realizar e que tipo de vida você gostaria de viver? Se você é realmente feliz com uma vida simples numa cabana, cercado pelas pessoas que ama, vendendo bugigangas que você mesmo faz usando ossos de vaca para conseguir dinheiro para a comida e ganhando apenas o suficiente para sobreviver, tudo bem. Mas fingir que você não quer mais do que possui porque não pode pagar ou sentir-se culpado e pretensioso por querer mais, aí não está tudo bem. Isso se chama ser chorão. Estabeleça qual é a sua versão mais verdadeira do sucesso (não se compare com os outros, por favor), imagine quanto isso vai custar e mantenha a firme determinação de ganhar dinheiro para o que você necessita.

QUARTA REGRA PARA A CONSCIÊNCIA DA RIQUEZA: ELEVE SUA FREQUÊNCIA

Dinheiro em si não significa nada. Uma nota de 100 dólares em cima de uma mesa não passa de um pedaço de papel. É a energia em torno dessa nota que a torna relevante. Você pode ter ganhado esses 100 dólares da sua avó, escondidos em um cartão de aniversário, roubado da sua melhor amiga quando ela não estava olhando, ou pode ter recebido como pagamento por um trabalho que você adorou ou odiou fazer. Em cada situação, a energia ao redor do dinheiro é diferente.

Nada tem um valor diferente do que colocamos nisso.

Da mesma forma, o valor monetário que colocamos nas coisas e nos serviços tem energia. Uma loja pode vender uma camiseta por dez dólares. Outra loja mais chique pode vender a mesma camiseta por 1.000 dólares. Quanto vale um relógio de ouro? Quanto vale um relógio quebrado que pertenceu a Michael Jackson?

É tudo faz de conta. Ou melhor, *é tudo que nos predispomos a acreditar*. Se acreditarmos que valemos dez dólares por hora, é nessa frequência que vamos vibrar e esse é o tipo de cliente ou de trabalho que vamos atrair. A palavra-chave é acreditar – você não pode ficar apavorado e cobrar mais do que acredita que merece e esperar receber o que exigiu, nem pode cobrar menos do que acredita que merece e esperar crescer, senão vai ficar aborrecido.

Se você quer criar riqueza, alinhe-se energeticamente com o dinheiro que deseja ganhar.

Três pessoas fazem a mesma coisa para viver, digamos que sejam quiropráticos, por exemplo. Uma ganha 50 mil por ano, a outra, 100 mil por ano, e a terceira ganha 1 milhão de dólares por ano. Será que a pessoa que ganha 1 milhão de dólares é *muito* melhor que a pessoa que recebe cinquenta mil? E como se coloca preço na excelência? Será que o profissional que ganha 1 milhão de dólares por ano tem uma maneira de estalar as costas alheias que é melhor do que a técnica do que ganha 50 mil dólares? Essa pessoa pode ser mais qualificada ou mais experiente (no entanto, repito, pode não ser), mas, em última análise, o que conta é a decisão de colocar um valor no seu trabalho. Esse profissional opera na frequência de 1 milhão de dólares e é o que ele cobra – e recebe.

•••
O dinheiro é uma troca de energia entre as pessoas.
•••

Quando você cobra dos clientes sob determinada frequência ou reivindica um salário em particular, você atrai clientes e empregadores que estão nessa mesma frequência. Você não coloca uma arma na cabeça de ninguém. Você não é o único que oferece esses bens e serviços, eles são livres para trabalhar com outros ou para contratar alguém que esteja em frequência diferente da sua, mas eles procuram você. E parte do que você oferece é a oportunidade de satisfazer a mesma frequência. Ao diminuir a sua frequência por medo, você faz todos vibrarem em frequência reduzida.

Se é importante para você prestar serviços de graça ou a preços módicos para pessoas em dificuldade, pode ter uma parte dos seus negócios voltada para uma ação social, ou algum tipo de bolsa de estudos, encontrar um patrono, obter subsídios, ou procurar outro meio de renda que o sustente enquanto você faz trabalho gratuito. Mas se exaurir trabalhando oito milhões de horas para sobreviver porque você se sente culpado por cobrar o quanto vale é realmente baixar demais o nível. Em última análise, você acaba ajudando um número menor de pessoas porque está cansado e mal-humorado e menos eficiente.

Então, onde você está em termos de energia com o que faz? E onde você quer estar?

Você descobre isso com uma visão aprazível e clara sobre o tipo de vida que deseja viver, pensando no que precisa fazer para que essa realidade se concretize de modo que você possa combinar sua frequência com a renda desejada. Se você não está nem perto do seu objetivo, continue aumentando os seus preços ou procurando empregos que o remunerem melhor. Aproxime-se de pessoas e de experiências com frequências mais elevadas. Reforce sua educação e seu conhecimento. Faça painéis de inspiração de como quer que seja a sua vida. De novo, elevar a frequência é como desenvolver um músculo – fortalecê-lo é um processo.

QUINTA REGRA PARA A CONSCIÊNCIA DA RIQUEZA: SE MANTER EM FORMA

Eleve sua frequência e fortaleça sua convicção na ilimitada possibilidade de manifestar a casa dos seus sonhos, de ir às Olimpíadas ou de encontrar sua alma gêmea. Caso contrário, você corre o risco de retroceder para o relacionamento capenga do seu pai com dinheiro, ou para o pavor que sua mãe tinha de ser vista, ou para a desconfiança dos seus pais divorciados para com a intimidade. Quando se trata de ser poderoso em relação ao dinheiro, uma das melhores maneiras de fazer isso é ler livros sobre a consciência da riqueza. O tempo todo. Repetidamente. Para mim, os principais sempre foram *Think and Grow Rich* ("Quem pensa, enriquece"), de Napoleon Hill, e *A ciência de ficar rico*, de Wallace D. Wattles (listados na parte final deste livro). Mas existem muitos livros disponíveis no mercado. Encontre algum que funcione para você e leia-o por pelo menos 30 minutos por dia. Aproxime-se de pessoas que não concebem o dinheiro como algo ruim e que desejam ou têm a intenção de consegui-lo. Cuidado com seus pensamentos e suas palavras. Faça um esforço consciente para se manter positivo, forte e inabalável em relação ao dinheiro.

CAIA NA REAL SOBRE QUANTO VOCÊ QUER GANHAR E POR QUÊ

Existem inúmeras maneiras de ganhar dinheiro honestamente. Obviamente, essas maneiras variam de acordo com os diferentes tipos de negócio, mas algumas regras gerais se aplicam a todos. Em primeiro lugar, pense na vida que você gostaria de viver e por quê. Calcule exatamente o quanto de dinheiro precisa para fazer isso acontecer. Se você ainda não sabe o preço da casa de seus sonhos, faça uma pesquisa. Se quiser viajar, decida para onde e quando irá, depois verifique exatamente o quanto isso vai custar. Se quiser um estilo de vida no qual possa comer fora mais vezes e vestir roupas melhores, faça os cálculos. Quanto você precisa ganhar por ano? Por mês? Por hora? O Universo responde aos detalhes. O Universo responde à energia. O Universo responde aos feras.

•••••••••••••••••••••••••••••••••••••••
Existe uma grande diferença entre falar que quer ganhar 1 milhão de dólares por ano e ter intenções claras, desejar ardentemente e agir de acordo com o necessário para atingir a sua meta.
•••••••••••••••••••••••••••••••••••••••

Faça uma lista, seja superespecífico sobre o seu desejo, o quanto vai custar, por que você deseja aquilo, como você vai se sentir quando conseguir etc. Você precisa estar absolutamente convicto do seu desejo e querê-lo a ponto de torná-lo inegociável: isso vai acontecer e tem que acontecer, não importa quanto tempo leve. Decida o que você deseja e anote o custo exato.

TORNE ISSO URGENTE

Já reparou que quando o aluguel vai vencer em uma semana e você não faz ideia de como vai pagá-lo ou se precisa muito de uma soma específica de dinheiro para outra finalidade e urgente, como extrair um dente, você sempre arranja um jeito de conseguir o dinheiro a tempo? Geralmente, chega uma quantia que até havia esquecido que iria receber, surge um trabalho inesperado, você toma coragem e pede um empréstimo para alguém, vende as joias de sua avó ou começa a concorrer com as crianças que vendem limonada na rua e arrasa com elas. Enfim, você muda o padrão de desperdiçar tempo se lamentando e se preocupando, pois de repente está ocupado em fazer acontecer. Esse é o poder da:

- Clareza

- Urgência

- **De não estragar tudo**

O dinheiro está ao seu alcance quando você realmente o deseja. É apenas uma questão de levar a sério e de não se desviar do caminho para ganhá-lo, não importa o que surja nesse meio-tempo.

O truque consiste em tratar seus sonhos com essa mesma urgência e determinação. Uma coisa é tomar uma decisão quando você está contra a parede e precisa arranjar dinheiro para pagar a escola do seu filho. Outra bem diferente é se recusar a retornar ao Grande Dorminhoco. Você precisa de um senso de urgência para não estragar tudo quando surgir a primeira dificuldade e descer ladeira abaixo, pensando: "Dane-se, não tem problema morar perto de um canil lotado de cães latindo. Eu posso comprar tampões de ouvido e vedar as janelas." Em vez de reagir, você age. Pare de fazer o papel de vítima (quando as circunstâncias controlam você) e faça o papel de super-herói (quando você acorda atordoado e não acredita que aquela seja mesmo a sua vida).

Uma ótima forma de subir o nível da psique é elevar a linha do limite. Muitas vezes, só damos grandes saltos de fé quando somos obrigados a resolver um problema inesperado – pagar uma conta muito alta seria um exemplo. Já que a questão aqui é a mudança em *você*, não apenas na sua renda, por que não optar por ser alguém que sempre tem algum dinheiro no banco? Seja o tipo de pessoa que não vive numa situação difícil, constantemente apavorada. Pense numa quantia e decida que sua conta nunca poderá ter menos do que esse valor – e que ele não é negociável. Se você, por exemplo, decidir que sempre terá dois mil em sua conta-corrente e se recusar a ver um saldo menor do que este, isso vai acender o seu fogo para ganhar dinheiro no instante em que seu saldo chegar perto do limite estabelecido. Ou resolva que sempre vai doar 10% dos seus ganhos para a caridade, de qualquer maneira. Estabeleça um novo limite, pare de passar aperto, mude sua mentalidade e conscientize-se da forma como você lida com o dinheiro, como o ganha e como o recebe.

VISUALIZE-SE COM DINHEIRO E COM AS DIFERENTES COISAS E/OU EXPERIÊNCIAS QUE ELE IRÁ PROPORCIONAR

Como disse anteriormente, o dinheiro em si não significa nada. O que agregamos ao dinheiro é o que lhe dá significado e nos inspira a ganhá-lo. O que o dinheiro nos faz sentir é o que nos coloca na emoção adequada para manifestá-lo. Escreva um mantra que você pode repetir constantemente para ajudá-lo a manifestar o dinheiro que deseja ter.

Já me vejo ganhando 150.000 até o dia 31 de dezembro porque sou contador e atendo da melhor maneira possível a 30 novos clientes. Sou muito grato por esses 150.000 até o dia 31 de dezembro, porque poderei levar minha família para passar férias em Bali, reformar a cozinha e doar dinheiro para a construção de escolas no Quênia. Já me vejo na selva com meus filhos e minha esposa, estamos hospedados no meu hotel favorito em Ubud. Já me sinto muito feliz por poder oferecer essa experiência transformadora e inacreditável para meus filhos e por dar tanta alegria para minha esposa. Também já vejo a cozinha e a felicidade que a reforma vai trazer para minha esposa. E vejo o rosto das crianças quenianas escrevendo no quadro-negro da escola que ajudei a financiar. Sinto muita alegria por poder fazer a diferença na vida delas. Sou muito grato pelos 150.000 que ganharei até 31 de dezembro. Vejo os clientes incríveis com quem estou trabalhando e que estão mais que felizes por pagarem 100 dólares por hora pelos meus serviços. Esse dinheiro é meu, esse dinheiro está vindo em minha direção, já posso vê-lo em minha conta bancária e sou muito grato por isso.

Escreva algo que faz você se sentir invencível, leia e releia várias vezes todos os dias, visualize, sinta e se apaixone pelo projeto. Eu sei, isso pode parecer uma chatice, mas faça, porque funciona. Confie em mim: funciona. Metas medianas e vagas levam a uma vida no mesmo nível. Se você quer fazer um trabalho espetacular, precisa ter um objetivo explícito em vista. Empolgue-se com o seu projeto de tal forma que você pareça quase insuportável para si mesmo.

DETERMINE-SE A ALCANÇAR A GLÓRIA

Pense e faça tudo que puder para manifestar esse dinheiro/novo estilo de vida. Caso tenha seu próprio negócio, quais são os novos programas ou os novos produtos que você poderia oferecer e vender? Você pode aumentar os preços? Alavancar o seu tempo? Conseguir clientes mais ricos, de classe mais alta? Intensificar as vendas para os antigos clientes? Conseguir um emprego de meio período? Se você trabalha para alguém, peça um aumento ou procure outro emprego que pague mais. Ouça a todos ao seu redor com novos ouvidos. Há alguma oportunidade com remuneração melhor que você não tinha notado antes? Você pode criar ou sugerir alguma posição que o fará alcançar a renda desejada? Faça o humanamente possível para chegar a esse nível de renda, depois se abra e entregue-se ao Universo para o inesperado: uma herança, alguém disposto a pagar por sua *expertise*, uma ideia brilhante que geralmente você julga fora de questão, ou então o surgimento de duas pessoas que estão à procura de alguém igualzinho a você para ajudá-las no projeto de seus novos escritórios. Fique atento às oportunidades e às pessoas que não costumam trabalhar com você ou pagar por seus serviços. Isso é um salto para uma nova realidade – seu trabalho não é *saber* como; seu trabalho é pedir o que deseja, esperar para *descobrir* como e depois agir.

Fica por conta do Universo a chegada do dinheiro inesperado, do novo emprego ou de um grande cliente. Isso pode acontecer de imediato ou pode levar anos. O seu trabalho é fazer de tudo para concretizar isso e manter a fé inabalável de que o Universo se movimenta a seu favor com um *timing* perfeito.

ADOTE MENTORES

Aproxime-se de pessoas que tenham mais conhecimento que você. Leia sobre elas, estude-as, saia com elas, contrate-as. Fique de olho no *coach* perfeito ou no mentor ou no livro ou no seminário perfeitos porque, quando o discípulo está pronto, o mestre aparece. Preste atenção em tudo e em todos que surjam em seu radar e aprenda o máximo possível com eles.

AME A SI MESMO

E você terá tudo.

CAPÍTULO 25

LEMBRE-SE DE CEDER

Ceder é a chave. Diga sim para a vida e veja como de repente a vida começa a agir a seu favor, não contra você.

— Eckhart Tolle, autor, canalizador, sumo sacerdote do estar presente

Imagine-se sentado perto da janela, olhando o jardim em um lindo dia de primavera. Pássaros, abelhas e borboletas voam alegremente lá fora, e de repente aparece a mais bela borboleta do mundo, com deslumbrantes asas azul-turquesa que fazem o seu coração explodir e com um voo jubiloso que faz a sua alma cantar. A metamorfose de úmida lesma à criatura de rara beleza é uma imensa fonte de inspiração. De repente, você dá um pulo, enlouquecido por um desejo feroz; *ela tem que ser minha, minha e só minha!* Pega uma rede no armário, sai da casa e em seguida se esgueira na ponta dos pés ao longo do canteiro de tulipas atrás de sua amada presa, com todos os sentidos em alerta, concentrado, determinado, tenaz, balançando a rede sobre a cabeça enquanto persegue a borboleta pelo jardim. Isso acontece por horas e horas, mas você só consegue assustá-la em vez de pegá-la. Só quando você deixa de tentar tão desesperadamente, quando relaxa, respira e entrega o seu desejo ao Universo, é que a borboleta dos seus sonhos pousa serenamente na ponta do seu nariz.

Se você deseja desesperadamente alguma coisa e trabalha sem trégua para obtê-la, se não se rende, no lugar de conseguir o que quer acaba repelindo o que deseja. Chega um momento em que você deve entregar o trabalho para o Universo. Isso não é desistir ou deixar de agir, é desapegar *de modo enérgico*, bater com menos força e abrir espaço para o desejo. Isso é permitir e deixar de forçar a barra. Liberar e confiar que, se alguma coisa está alinhada com o propósito de sua vida, essa coisa voltará para você (ou outra coisa ou outro alguém ainda mais perfeito). Isso é se render e deixar o Universo fazer o trabalho, levando fé na realização do desejo.

••
Sua fé no Universo deve ser mais forte do que o seu medo de não conseguir o que deseja.
••

É como contratar uma faxineira para limpar a casa enquanto se concentra em fazer outro trabalho que gosta de fazer. Você explica em detalhes o que ela deve fazer, mostra onde a vassoura está, avisa que vai ficar furioso se ela quebrar as canecas de cerâmica que sua sobrinha fez para você, mas delega o trabalho. Se você ficar zanzando ao redor da faxineira, tirando a esponja das mãos dela e dizendo "deixe-me fazer isso", ela não vai fazer o trabalho, você vai se sobrecarregar e deixar de colher os benefícios que o levaram a contratá-la, em primeiro lugar.

•••••••••••••••••••••••••••••••••••••••
Ceder é a parte que você entrega o trabalho nas mãos do Universo.
•••••••••••••••••••••••••••••••••••••••

O que muitas vezes ocorre é que, mesmo com as melhores intenções e trabalho árduo, nós tentamos controlar as circunstâncias com crenças limitadoras e padrões antigos. Nós pensamos que precisamos *assumir o controle* da situação (pensamento baseado no medo) em vez de ter fé, agradecer e *permitir* que o Universo faça a entrega (pensamento baseado no amor). Em suma, nós pensamos que podemos fazer um trabalho de manifestação melhor que o próprio Universo.

De repente, alguém convida você para uma festa. Todos estão animados e certos de que será uma festa incrível, e também encantados com a ideia de que você estará presente. Entregam o convite com entusiasmo e um profundo desejo de que você compareça, mas sem pressão – eles sabem que, se você comparecer, a festa será incrível, mas também sabem que, se você não for, o evento continuará sendo ótimo. De todo modo, a festa vai rolar e vai ser um sucesso. Eles acreditam nisso de coração. Essa é a verdade.

Imagine-se agora sendo convidado para uma festa diferente. A sua presença é exigida e a pessoa que fez o convite age como se a festa pudesse ser um fracasso gigantesco se você não comparecesse. Ela também faz questão de lembrar que esteve na última festa que você deu. Então você precisa retribuir a gentileza. O dono da festa choraminga, manipula, controla, é um pé no saco. A pessoa sabe que a festa será incrível de qualquer maneira, mas decidiu que tudo depende da sua presença.

Os dois anfitriões podem fazer exatamente os mesmos preparativos: decorar a casa, comprar tábuas de queijo, providenciar bebidas, encomendar esculturas de gelo. Mas um dos lados está mais propenso a externar o que deseja – a sua presença, por livre e espontânea vontade – porque ele cedeu. Ceder não tem a ver com o que você faz, mas com o jeito como você faz.

A sua vida é a sua festa. E é você que escolhe quais convidados, experiências e coisas irá trazer para a sua festa.

Se você está mesmo na pior, você não tem que se matar no trabalho para se livrar das dívidas e se lamentar pela sua situação patética. O que você precisa é assumir a melhor atitude a cada dia, dando o melhor de si, relaxando, celebrando e trabalhando arduamente com a expectativa grata de que o Universo acabará lhe proporcionando outra oportunidade mais lucrativa.

Se você é solteiro(a), não tem que se derramar em lágrimas porque ainda não encontrou um bom partido e se obrigar a ir a milhões de encontros sem estar com o menor entusiasmo. O que você precisa é manter seu desejo forte e sua fé inabalável, escovar os cabelos e os dentes, sair de casa, paquerar por aí, abraçar alegremente a vida e agradecer, porque a pessoa que você procura o espera em algum lugar e porque o Universo conspira para unir vocês dois.

Dúvida é resistência, fé é ceder. Preocupação é resistência, alegria é ceder. Controle é resistência, permissão é ceder. Ridicularizar é resistência, crer é ceder.

A energia precisa fluir ou fica estagnada. Ceder é se colocar no fluxo.

Ceder é abrir espaço para manifestar seus desejos, as boas experiências, os bons sentimentos e tudo mais que ainda não está no reino da consciência (o que também é conhecido como milagre).

Como já mencionei, quando você se direciona a uma vida nova e incrível que nunca teve, você mal consegue esperar para saber *como* chegar lá, mas você só pode fazer o que já sabe e se abrir para descobrir esse novo *como*. Da mesma forma, você precisa se abrir para o fato de que não sabe exatamente como será essa nova realidade porque nunca a viu. Você só pode visualizar o que já conhece. Então essa vida nova e inacreditavelmente maravilhosa pode estar fora do seu escopo de imaginação, e, por se apegar à visão exata do que deseja, no lugar de ceder, você acaba perdendo o que verdadeiramente quer. Talvez essa nova realidade seja parecida com o que você imaginou, mas também pode ser totalmente diferente (e muito melhor).

Aqui vai o básico sobre como ceder:

• Deixe bem claro o que você deseja manifestar.

• Veja, sinta, prove, apaixone-se pelo que deseja, acredite que já está diante de você.

• Determine que vai ter o que tanto quer.

• Transmita sua intenção ao Universo, agindo e pensando *como se já tivesse o que deseja*.

• Medite, conecte-se com a infinita possibilidade, com a sua intuição e com a Energia Primordial.

• Tome atitudes alegres e apaixonadas.

• Agradeça pelo que já é seu e já está disponível.

• Respire, desapegue-se, abrace.

Quando você acredita que tudo que deseja já existe, você já está cedendo naturalmente.

Ceder é saltar em queda livre rumo ao desconhecido e confiar que o Universo vai segurá-lo. E você não pode saltar partindo de um local de ausência ou de desconfiança – *Beleza, vou me jogar, é melhor você vir me segurar, seu maldito!* Você tem que dar tudo de si, se liberar por inteiro, se jogar, ter fé, agradecer e esperar. E enquanto isso...

AME A SI MESMO

E a Matriz irá lhe conceder sua magia.

CAPÍTULO 26

FAZER VERSUS ENGANAR

Deus não vai manifestar Suas obras por intermédio de covardes.
— Ralph Waldo Emerson; audaz escritor/poeta,
habilidoso "fazedor" e enganador

Uma amiga mandou tatuar "dããã" na parte de dentro do braço em homenagem ao fato de que todos os nossos momentos "ahá!" não exigem muito esforço cerebral. "O medo é uma escolha!", "Sou adorável!", "Não esquente, seja feliz!" Toda vez que ela ergue o braço para um *high five* ou para ver se precisa depilar as axilas, essa amiga se lembra das muitas vezes em que sublimes mentiras estão à espera na região do óbvio.

Você conhece inúmeros truísmos iguais a esses, você já ouviu falar ou pensou sobre eles um milhão de vezes, mas quando a ficha finalmente cai e você "capta o sentido" dessas mensagens, elas subitamente se tornam notícias capazes de fazer a terra tremer.

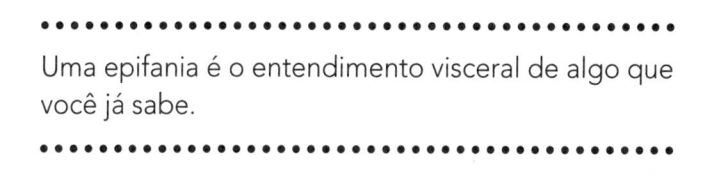

• •
Uma epifania é o entendimento visceral de algo que você já sabe.
• •

Quando algo se desloca do seu cérebro para o seu íntimo, é chegado o momento de usá-lo para mudar de vida.

A pergunta de um milhão de dólares é, então... "será que eu consigo?".

Ora, as pessoas desperdiçam palavras durante anos, apresentam deveres e obrigações, frequentam aulas, vão de seminário a seminário e se enterram nas prateleiras de livros de autoajuda até que finalmente FAZEM alguma coisa, se é que fazem.

Segundo uma estatística, apenas 5% das pessoas que se inscrevem em cursos, seminários e afins realmente fazem alguma coisa com o que aprendem. Isso inclui coisas muito, muito, muito caras, bem diferentes dos cursos de gestão financeira que tantas faculdades oferecem. Isso ocorre porque muitas pessoas que realmente desejam uma mudança se dispõem a investir tempo e dinheiro nessas coisas, mas, em última análise, não se expõem ao desconforto de fazê-las acontecer, ou seja, no fundo, o desejo delas não é tão forte assim.

• •
"Eu tentei" é a versão pobre de "eu arrebentei!".
• •

As pessoas bem-sucedidas não estão dispostas apenas a se sujeitar ao desconforto, mas sabem que precisam fazer das tentativas um hábito para se manterem assim. Continuam seguindo para cada novo desafio em vez de optarem pela estagnação e por se conformarem. O músculo que se usa para "arrebentar!" é como qualquer outro – você precisa usá-lo ou perde. Se você estiver fazendo um grande avanço e sentir algo como *saquei, estou ligado* e então se sentar e esperar que o longo fluxo de maravilhas continue vertendo, vai perder massa muscular e retornar à antiga forma de *marshmallows* que você tinha antes de começar a se movimentar.

Mantenha-se em movimento, continue crescendo, superando os obstáculos, continue a evoluir. Você supera um nível, atinge o próximo, dá mais um passo para cima. Cada vez que você cresce, aprende alguma coisa nova, o que basicamente significa se expor a um novo desconforto. Isso porque quando se chega a um nível no qual nunca se esteve antes surgem desafios que nunca foram experimentados. A vontade de ultrapassar os novos desafios, sem se acovardar e fugir para a zona de conforto, é o que separa o sucesso do fracasso.

Novo nível, nova dificuldade.

A vida se movimenta em evoluções e recuos até a morte. Se você quiser fazer a sua própria vida evoluir, precisa se obrigar a aceitar os obstáculos e não evitá-los. Obstáculos e desafios são *agentes de crescimento*. Ninguém vira um sucesso sem enfrentar desafios e superá-los. O nascimento é confuso, doloroso, assustador e incerto. Mas também é um milagre glorioso que faz surgir uma vida nova. Se você deseja a vida nova que afirma desejar, você precisa trabalhar, não só estudar, discutir, desejar, querer.

Recentemente, soou para mim um alerta nesse departamento que vou dividir com você na esperança de inspirá-lo a trabalhar e ter fé, não importa o que aconteça. No momento, eu não moro em lugar nenhum, ou melhor, talvez possa dizer que moro em todos os lugares. Faz dois anos que me livrei da minha casa e saí para explorar o mundo indefinidamente. Como sempre adorei viajar e para gerir o meu negócio só preciso do meu computador, de uma boa conexão de internet, um sinal decente de celular e de um sanduíche, decidi guardar minhas coisas num depósito e cair na estrada. Isso me pareceu uma oportunidade de viver a vida nos meus próprios termos, de ser uma sacerdotisa da alta vibração, de dar um salto quântico ao redor do Globo e de saber em quantas línguas diferentes eu posso aprender a dizer "você se importaria em vigiar minhas coisas enquanto vou ao banheiro?".

No momento, estou concentrada em dominar a arte de ceder. Eu quero ter uma fé inabalável no que ainda não foi visto. Eu quero o conforto de confiar no Universo a ponto de tornar isso uma segunda natureza e eu poder pular no vazio com os dedos dos pés apontados e pétalas de margarida em meu despertar. Ou, então, pelo menos poder fazer isso com mais graça e leveza. Sobretudo agora que estou perambulando ao redor do planeta, pregando de modo grandioso sobre decisão e desapego.

Eu também gostaria muito de fazer ao invés de vomitar.

E nisso geralmente "ceder" entra em jogo, especialmente quando se trata de descobrir para onde irei depois e onde ficarei quando chegar lá. Meu *modus operandi* é seguir o fluxo e confiar que o Universo me guiará para um lugar perfeito no momento perfeito, algo que, tenho prazer em informar, ainda não me decepcionou. Depois de seguir o meu repentino e bizarro impulso de ir a Tóquio (uma cidade que eu tinha zero interesse de conhecer), eu não só me apaixonei pela cidade como também consegui alugar o apartamento mobiliado ideal, que me foi entregue em bandeja de prata quando decidi que iria viver lá por um tempo. Também surgiu um convite repentino e não solicitado para ficar em uma linda casa de hóspedes no interior da Espanha, com grandes amigos, justamente quando eu estava tentando, e fracassando, saber para onde iria em seguida. Por diversas vezes, ao acaso, o meu caminho em lugares distantes do mundo se cruzou com o de vários nômades globais com quem fiz amizade em Bali. Eu ficava tonta e de queixo caído cada vez que topava com eles. "Você também está nesta vila de pescadores minúscula e no meio do nada na Indonésia, usando só um sarongue e com o cabelo cheio de *frizz*?"

Embora o meu agente cósmico de viagens tivesse mais do que provado que sabia exatamente o que estava fazendo, eu ainda estava nervosa com essa última queda livre. Porque dessa vez não era apenas *me envie para qualquer lugar que seja legal, onde coisas incríveis possam acontecer comigo, está bem? Obrigada.* Eu precisava aportar no lugar perfeito para escrever este livro. Só tinha um mês para entregá-lo ao editor, e tinha, hum, pouquíssimo tempo para escrever, de modo que estava um tanto tensa com o "onde", o "que" e o "como". Na ocasião, ainda estava em Tóquio, e meu plano era seguir para Los Angeles, onde me encontraria com um cliente e depois viajaria pelo oeste norte-americano e terminaria em alguma casa fabulosa, luxuosa e mobiliada, cercada por uma bela paisagem e com muito sol, onde pudesse me concentrar e escrever. Eu me imaginei cercada por uma natureza impressionante, mas perto de uma cidade onde vivessem alguns amigos, para evitar o conhecido isolamento que leva os escritores a beberem muito ou, no meu caso, a tentar experiências fracassadas como cortar o próprio cabelo. Se houvesse animais por perto para me fazer companhia, seria maravilhoso, mas o resto era inegociável.

Cerca de duas semanas antes de partir, entrei na internet em busca de casas para alugar. Fiz a busca em cada estado a oeste do Colorado, mas tudo que me agradava estava reservado. Nenhum dos meus conhecidos me apresentou qualquer ideia. Enviei e-mails, postei no Facebook, no Twitter, mandei mensagens de texto e, novamente, nada. Claro que restava a opção de me hospedar em algum hotel, mas o meu coração queria uma casa e comecei a entrar em pânico pensando que tinha deixado aquilo para a última hora. Era uma coisa séria – o meu livro! Eu precisava de inspiração e de uma frequência alta! Eu queria olhar da minha mesa uma paisagem inspiradora de montanha ou de mar ou de campos do outro lado da janela! E, se não surgisse nada em breve, só me restaria olhar pela janela do quarto onde cresci e ver minha mãe de chinelos varrendo a entrada.

Comecei a me resignar, achando que tinha estragado tudo. Em vez de ter fé no Universo e antecipar com alegria a manifestação da casa dos meus sonhos, comecei a me acovardar e repetir que era melhor aceitar o que aparecesse. *Do que estou reclamando? Por sorte tenho a casa de mamãe para ficar. Adoro mamãe. E ela ainda vai me servir lasanha enquanto eu estiver escrevendo.* Foi quando percebi o que estava fazendo. Que bela hipócrita eu seria se ficasse morrendo de medo e tendo pensamentos pequenos e vibrações baixas sobre o local para escrever um livro que falaria justamente sobre não passar a vida com medo, resignada e com pensamentos pequenos e vibrações baixas!

••
Você tem que manter a fé, sempre, mesmo quando é o seu que está na reta.
••

Então, 48 horas antes do meu voo de Tóquio para Los Angeles, eu me sentei serenamente e me concentrei em qual seria meu palácio ideal para escrever um livro, visualizei o grande espaço aberto da sala, me deleitei com os sofás de *plush* e com uma cozinha grande e espaçosa, embebida pelo sol que entrava pelas amplas janelas. Senti a imagem no meu íntimo, acreditei que ela era real e já me empolguei, fiquei apaixonada e grata pela casa que já existia e estava a caminho. Depois enviei um e-mail coletivo, perguntando se alguém conhecia um ótimo lugar onde eu pudesse escrever meu livro. Entreguei o desejo ao Universo e saí para jantar sushis para comemorar o maravilhoso paraíso que estava prestes a cair no meu colo. Quando retornei ao hotel, um e-mail estava à minha espera. Era de um amigo que conhecia algumas pessoas que tinham um lugar para onde eu poderia me mudar o quanto antes.

É com prazer que informo que estou escrevendo este livro em uma casa enorme, luxuosa, aberta, ensolarada, com janelas amplas e uma vista espetacular, a uma hora de distância de São Francisco, onde vivem cinco dos meus melhores amigos de faculdade. A casa fica no topo de uma colina com vista para sete hectares de campos, e eu posso continuar aqui pelo tempo que bem entender, contanto que tome conta de um adorável cavalo e duas cabras.

Esse. Negócio. Funciona!

Então, você está levando mesmo a sério esse negócio de não se conformar? É só dar um salto quântico na sua vida agora mesmo, o que poderá mudar toda a sua realidade de repente, caso você deseje com fervor. Ou pode aumentar a sua renda, fazê-lo perder cinco quilos, fazer você acordar animado porque você ser quem é, em vez de simplesmente empurrar o dia com a barriga até o *happy hour*. Seja qual for o tipo de melhoria que você deseja, ela está disponível para você agora mesmo.

Você só precisa decidir que vai fazer isso acontecer, se envolver consigo mesmo e deixar o Universo trabalhar a seu favor.

Aqui vão algumas formas de aplicar o que aprendeu neste livro e fechar o negócio:

1. DÊ ADEUS AOS VELHOS HÁBITOS

Pessoas bem-sucedidas cultivam bons hábitos, as malsucedidas cultivam hábitos ruins. Os hábitos são as coisas que fazemos automaticamente, sem pensar, e que ajudam a definir quem nós somos: se você tem o hábito de se levantar e se exercitar toda manhã, você está em forma. Se tem o hábito de não cumprir o que diz que vai fazer, não é confiável. E se você tem o hábito de receber uma massagem três vezes por semana, você é uma pessoa empolgada.

Preste atenção nas áreas de sua vida que não o deixam tão feliz e descubra os maus hábitos que ajudaram a fomentá-las, substituindo-os por bons hábitos. Assuma os bons hábitos dos bem-sucedidos: bons hábitos de gestão de tempo, de tomada de decisão, de pensamento, de saúde, de relacionamento, de trabalho etc. Pense nos comportamentos que fariam mudanças grandes e positivas em sua vida (talvez até os tipos de mudança que, aos seus olhos, são difíceis de se tornarem realidade) e transforme-os em hábitos.

Como se formam os hábitos? Por decisão. Faça disso uma parte de suas atividades regulares e diárias. Torne-os inegociáveis e mecânicos como escovar os dentes ou levantar-se da cama. Programe-os. Conscientize-se de suas crenças subconscientes e reescreva suas histórias. Se você já tentou fazer isso por conta própria, sem êxito, consiga alguma ajuda. Contrate um *coach*, um mentor, um *personal trainer*, peça a um amigo para pichar com spray "eu sou uma preguiçosa gorda" em algum lugar de sua casa caso você não atinja seu objetivo de frequentar a academia cinco dias por semana. Independentemente do que esteja fazendo, comece a desenvolver hábitos de sucesso se quiser se tornar uma pessoa bem-sucedida.

2. RELAXE QUANTO ÀS PESSOAS

Seu poder de super-herói – ou seja, sua conexão com a Energia Suprema – está ao seu alcance durante as 24 horas de cada dia da semana, não apenas quando você está de roupão, sentado com as pernas cruzadas e meditando. Depois de fazer seu cérebro calar a boca e se conectar com a Energia Suprema, você poderá fazer isso ao longo do dia.

A grande questão de tudo que você aprendeu neste livro é que ele deve ser usado para melhorar a sua vida, não para ser lido enquanto você está fazendo uma pausa e depois volta a viver do jeito que sempre viveu, deixando todo o aprendizado para trás, no sofá onde o estava lendo. Você deve carregar consigo a cada dia e o dia todo o alívio do estresse, o apreço pela vida, a distribuição de alegria, a melhora do humor, a conexão com a Energia e os benefícios de arrasar. E a melhor maneira de fazer isso é por meio da respiração.

Quando você está preso no trânsito, levando uma bronca do chefe, se sentindo deslocado numa festa, andando pelo escritório, deitado na praia ou tentando se lembrar como chegar à casa de sua irmã, reserve um momento para respirar profundamente, limpe a mente, entre em contato com seu corpo, integre-se ao momento presente e conecte-se com a Energia Primordial.

Quanto mais isso se torna um hábito cotidiano, mais você testemunha mudanças profundas e positivas em sua vida, tanto emocionais como físicas, e mais você se torna graciosamente capaz de lidar com o próximo idiota insensível que resolve gritar ao celular enquanto está sentado ao seu lado no restaurante.

3. MANTENHA-SE EM ALTA

Saia com gente que arrasa e que faz você se sentir um tremendo perdedor se você também não arrasa. Eu (obviamente) não me canso de falar isso. Aqueles que o rodeiam afetam o seu jeito de ver o mundo e até que ponto você baixa ou aumenta o nível para si mesmo. Se você se cercar de pessoas que reclamam constantemente de que estão cansadas, sem grana e preocupadas com a economia, você vai se sentir um herói só por se levantar da cama de manhã. Ande com pessoas que tenham um propósito de vida, que enfrentam os desafios com atitudes arrojadas, que namoram pessoas sensacionais, que ganham exatamente o quanto querem ganhar (ou que estejam tratando disso), que tiram o tipo de férias que elas e você desejam, e que, além do mais, o fazem perceber que tudo isso também é possível para você e ainda servem de exemplo e incentivo.

4. ESTABELEÇA OBJETIVOS HONESTOS

Não decida que você vai correr 15 quilômetros por dia caso ainda pense que caminhar até a pizzaria da esquina vale por um dia de exercício. Comece correndo uns 800 metros por dia e aumente à medida que se fortalecer. A disciplina é um músculo, você a fortalece de acordo com seu próprio ritmo. Se decidir abraçar o mundo com as pernas, há grandes chances de você desanimar e desistir de vez. Defina metas honestas que estejam fora de sua zona de conforto e trabalhe a partir delas.

5. LEIA O SEU MANIFESTO

Anote seus objetivos e sua visão de vida ideal no tempo verbal presente, sendo o mais específico possível. Onde você mora, com quem vive, o que faz para se divertir, quem está ao seu redor, quanto dinheiro você ganha e de que forma, o que você dá em retribuição para o mundo, o que está vestindo etc. Faça isso de forma tão impressionante que você não consiga ler sem se emocionar a cada frase. Leia as anotações para si mesmo diariamente, antes de se deitar e quando acordar, e não se esqueça: *eu não estou aqui de brincadeira*. Fique obcecado com isso. Pense em como você está se transformando, em quem você está se tornando e ponha-se em um vertiginoso estado de expectativa a respeito disso o quanto antes. Quanto mais você se concentrar em quem está se tornando e mais se emocionar com esse fato, mais rapidamente você atingirá a sua meta.

6. PEGUE O SEU CARTÃO DE CRÉDITO E PAGUE AGORA POR AJUDA

Trabalhar com um *coach* ou mentor talvez seja a atitude mais rápida e mais eficiente para obter grandes mudanças em um espaço curto de tempo. Eu não estou dizendo isso – talvez esteja, até certo ponto – apenas porque sou *coach* e tenho visto clientes meus fazendo o impossível. Também digo porque *eu* trabalhei com um *coach* em certo período da minha vida e sei como isso mudou radicalmente o meu mundo. Pense a respeito: atletas profissionais trabalham com treinadores durante toda a carreira. Eles não decidem de repente, "tudo bem, neste ano eu já ganhei oito milhões de dólares batendo uma bola. Acho que estou muito bem preparado para fazer isso por conta própria". Eles continuam recebendo treinamento para manter o alto desempenho e seguir crescendo. O que faz você pensar que pode fazer tudo sozinho (especialmente se você passou a maior parte da vida basicamente provando que não consegue)?

7. BOTE SEU CORPO PARA TRABALHAR

Sua mente segue para onde seu corpo a leva. Se você está de mau humor e se lembra de manter uma postura ereta e elevada, seu humor muda automaticamente. E quando você está em forma, com toneladas de energia, você sente como se pudesse conquistar o mundo. Se você está levando a sério a tarefa de pôr ordem na sua vida, deixe de ser preguiçoso(a). Deixe o sangue fluir, escolha alimentos que sejam nutritivos e façam você se sentir bem, aprimore a respiração. Use a mente, o corpo e a alma em conjunto para fazer isso acontecer.

OPÇÃO AVANÇADA DO CORPO: ok, embora isso seja bem estranho e pode não ser muito bem aceito aqui, vou falar de qualquer forma, porque dá certo. Se você realmente quiser se tornar sólido como uma rocha, determinado e empolgado, bata no peito e dê socos no ar enquanto repete algumas afirmações. Grite coisas como: "Sou poderoso! Sou confiante! O Universo está do meu lado e eu vou detonar!" Você pode mudar as afirmações, também, se quiser, diga o que fizer mais o seu estilo. Engaje seu corpo, fundamente-se física e emocionalmente nas palavras, e suas afirmações terão muito mais poder. Mente e corpo são mais poderosos juntos do que sozinhos.

8. USE SUAS ARMAS SECRETAS

Faça uma lista de músicas que o deixam de alto astral, escute mensagens motivacionais, cerque-se de fotos de pessoas que acham você o máximo, use roupas que o fazem se sentir sexy e inteligente, dance, grite, bata no peito e corra enquanto ouve o tema de "Rocky: Um Lutador". Pense no que faz você sentir que pode erguer um cavalo com as próprias mãos e faça isso o mais regularmente possível. Você está se preparando para ganhar uma medalha de ouro aqui. Então tem que se manter no Espaço.

9. AME A SI MESMO

Com uma pegada de *kung fu*.

CAPÍTULO 27

NÃO ESQUENTA, SCOTTY

Nada é impossível porque a própria palavra diz "eu sou possível".
– Audrey Hepburn; atriz, ícone, fabulista

Minha avó por parte de mãe viveu até os 100 anos. Nana era uma WASP (branca, anglo-saxã e protestante) no sentido estrito da palavra: refinada ao extremo, reservada, capaz de evitar qualquer confronto com a qualificada precisão de um piloto de F-16. Até onde me lembro, ela tinha sempre a mesma aparência, com um cardigã nos ombros, as mangas presas por um broche antigo, seu batom rosa e seus olhos castanhos brilhantes, que reluziam em seu rosto cheio de rugas que apareciam junto com uma sequência de "ai, ai" a cada vez que ela dava uma risada.

Em sua longa vida, Nana testemunhou o nascimento de realizações humanas fundamentais, como o telefone, o carro, a TV, o avião, o computador, a internet e o rock'n'roll.

Contudo, as duas coisas que mais a impressionaram foram a chegada do homem à Lua e as máquinas de refrigerante do McDonalds. Ela ficava lá assistindo, dominada pela descrença, e quando um funcionário colocava um copo pequeno, médio ou grande debaixo de uma torneira, apertava um botão e se afastava, deixando a máquina preenchê-lo com a quantidade precisa e adequada de refrigerante, Nana sacudia a cabeça, mortificada. "Como a máquina sabe onde parar, como a máquina *sabe*?"

Depois que descobriram como clonar uma ovelha, ela praticamente jogou a toalha e nunca mais questionou qualquer outra coisa.

Um dia minha família a levou para almoçar em um restaurante no último andar de um hotel gigantesco. Quando entramos no elevador, alguém apertou acidentalmente o botão para o andar onde nós já estávamos no instante em que as portas se fecharam, fazendo-as se abrirem novamente. Pensando que tinha acabado de subir 45 andares numa fração de segundo, minha doce avó saiu nervosamente do elevador, dando tapinhas no próprio cabelo enquanto vagava pelo corredor resmungando consigo mesma: "Por que não?"

Quero terminar aqui encorajando você a perseguir os seus sonhos com essa mesma convicção de que tudo é possível, exatamente como essa velhinha que usa meias até o joelho e sapatos com saltos relativamente altos, que nasceu em 1903 e percorreu o século tecnologicamente mais espantoso da história mundial.

Seja lá o que você quiser fazer com a sua preciosa vida – escrever piadas, compor canções de rock, iniciar um negócio, aprender a falar grego, sair do emprego, criar um monte de filhos, se apaixonar, acabar com a flacidez, abrir orfanatos no mundo inteiro, dirigir filmes, salvar golfinhos, ganhar milhões de dólares ou viver dentro de um cânion vestindo só uma tanga – acredite que é possível. Acredite que seu desejo o espera aqui e agora. Acredite que você merece ser/fazer/ter.

Por que não?

Dê a si mesmo a permissão e os meios (sim, isso inclui dinheiro) para ser quem você é, INDEPENDENTEMENTE DO QUE QUALQUER PESSOA PENSE OU ACREDITE SER POSSÍVEL. Não renegue a vida que você quer viver somente porque você está preocupado, achando que não é bom o bastante, achando que vai ser julgado, dizendo que é muito arriscado, porque isso vai fazer bem para quem? Para ninguém. Quando você faz coisas que o animam, que o fazem se sentir bem, que lhe trazem alegria e que o fazem jogar coisas na cara dos outros e gritar, "olhe só isso!", você caminha pelo mundo tão cheio de luz que seus olhos disparam raios de sol. E esses raios automaticamente iluminam o mundo em volta. É precisamente por isso que você está aqui: para fazer a sua bola de fogo brilhar para o mundo – um mundo que literalmente depende de luz para sobreviver.

Você é forte. Você é amado. Você está cercado de milagres.

Acredite, acredite mesmo, que o que você deseja está aqui e agora, ao seu dispor. E que você pode ter tudo.

AME A SI MESMO

Você é fera!

FONTES

Segue uma lista de alguns livros dos mestres que me ensinaram a aperfeiçoar o meu próprio brilho. Embora sejam alguns dos meus livros favoritos que leio o tempo todo (e que sugiro veementemente que você também leia), essa lista está em constante crescimento e evolução. Por isso, se você deseja mais sugestões, inscreva-se no *site* www.JenSincero.com para encontrar atualizações desta lista.

LIVROS

Peça e será atendido – aprendendo a manifestar seus desejos, de Esther e Jerry Hicks.
Esse é um excelente livro para começar. Bem escrito e não longo a ponto de ser chato, ele explica profundamente o que é a Lei da Atração e como concretizar o que você deseja. O Fator de Estranheza é dos mais altos: a coautora Esther Hicks era uma típica

dona de casa até que de repente começou a canalizar um espírito chamado Abraham. O livro e toda a obra de Esther contêm os ensinamentos de Abraham, e, seja lá quem ele foi, suas informações são boas e Esther é muito divertida nas suas gravações ao vivo, embora o livro seja mais simples. A primeira metade é composta de ensinamentos; a segunda, de práticas.

Os quatro compromissos – um guia prático para a liberdade pessoal, de Don Miguel Ruiz.
Bom, curto, baseado na sabedoria transmitida pelos antepassados toltecas do autor. Basicamente, o livro fala sobre as quatro coisas que você precisa fazer para levar uma vida incrível: ser impecável com a sua palavra, não levar nada para o lado pessoal, não fazer suposições e sempre fazer o seu melhor. É um livro que, sem dúvida, vale a pena ser lido, pois estabelece algumas verdades muito simples e profundas que com certeza mudarão a sua vida para melhor, se você segui-las. E ele faz uma boa figura na mesa de centro da sala.

O Jogo da Vida e como jogá-lo, de Florence Scovel Shinn.
Esse livro se refere constantemente à Bíblia e a Jesus, mas é fácil gostar dele independentemente de você ser religioso ou não, pois está repleto de valiosas lições espirituais e muitas histórias antigas. A linguagem usada é simples e tem um jeito de "livro escrito pela vovó", mas as histórias que ilustram naturalmente o pensamento da autora são adoráveis. É um livro curto, que vai direto ao ponto e passa a sensação de que você está sentado com uma senhora que quer conversar sobre como as coisas realmente são.

O poder do agora – um guia para a iluminação espiritual, de Eckhart Tolle.
Se você é neófito na questão do Ego Total (ou Grande Dorminhoco) e realmente deseja compreender a natureza transformadora de

estar presente, esse livro é basicamente como a Bíblia. Ele desafia o leitor a ver o mundo de um modo diferente e ainda o ajuda a compreender algumas teorias muito profundas sobre a realidade, o tempo e a perspectiva. Esse é outro livro em que o Fator de Estranheza é muito alto: Eckhart foi um suicida patológico, até que certa manhã acordou se sentindo iluminado e transformado. O estado de êxtase que o envolveu foi tamanho que ele passou os dois anos seguintes sentado no banco de um parque, brincando com os próprios lábios (eu não estou brincando). Então, ele canalizou esse livro.

O Homem é aquilo que ele pensa, de James Allen.
Esse surpreendente livro aborda a mente poderosa e como usá-la para tornar-se o mestre da sua realidade. Se você realmente quer desenvolver essa habilidade e levar um tipo de vida extraordinária, a leitura repetida desse livro, até que ele se torne uma segunda natureza, será um tempo muito bem gasto. É outra obra que remonta ao passado, mas ainda é extremamente citável e relevante nos dias atuais.

The Creative Habit: Learn It and Use It For Life, de Twyla Tharp.
Escrito por uma coreógrafa sem frescuras e de renome mundial, esse é um dos livros que valeu como uma sacudida no quesito "dê um jeito na sua vida!", em minha opinião. Como o título sugere (em tradução livre para o português, "O hábito criativo: aprenda a usá-lo para a vida"), o livro fala de criar bons hábitos – que, se você não fizer nada diferente, servirão para mudar sua vida significativamente para melhor. Repleto de histórias e dicas, é um dos meus livros favoritos. A autora, às vezes, até me deixa um pouquinho assustada.

Losing My Virginity: How I've Survived, Had Fun and Made a Fortune Doing Business My Way, de Richard Branson.
Esse é um livro fantástico que li de uma só vez. O autor, além de fundador da Virgin Records e da Virgin Airlines, é muito louco e, a meu ver, também é uma das pessoas mais inspiradoras que existem. O livro detalha sua vida, do tempo em que ele abriu uma pequena loja de discos até se tornar um dos empresários mais famosos e radicais conhecidos. Branson comprou sua própria ilha e passou a cruzar oceanos em balões de ar quente. Eu gostaria demais de ir a uma festa com esse cara.

NOTA BIBLIOGRÁFICA IMPORTANTE: eu destaquei a biografia de Richard Branson porque é uma das minhas favoritas, mas não deixe de ler qualquer outra biografia/autobiografia de pessoas que você considere inspiradoras. Eu poderia listar cerca de setenta outros livros, mas digamos que talvez você não ache que as vidas de Dolly Parton ou Eleanor Roosevelt sejam tão fascinantes e inspiradoras assim. O que sugiro é que você realmente reserve um tempo para ler biografias que o façam querer mudar sua vida.

Manual de Intuição Prática, de Laura Day.
Tida como a maior mestra da intuição, Laura Day tem trabalhado com os mais variados tipos de pessoas: os empresários de sucesso, hippies, celebridades, analistas financeiros e até as donas de casa. Ela é a rainha em mostrar às pessoas como acessar a intuição para tomar decisões mais informadas e projetar vidas mais autênticas. Nesse livro, a autora apresenta segredos e dicas testadas e verdadeiras sobre se conectar com o seu GPS interno por meio de exercícios e estudos de casos.

As sete leis espirituais do sucesso: um guia prático para a realização de seus sonhos, de Deepak Chopra.
Sou grande fã de não ter que ler demais para obter informações e de saber o que terei de fazer para atingir os meus objetivos. O bom e velho Deepak dividiu a obtenção do sucesso em sete passos fáceis de seguir, baseados em princípios espirituais. Esse é um dos meus livros favoritos por ser curto e por oferecer conselhos extremamente vigorosos. Ele oferece informações profundamente espirituais e poderosas no tamanho certo e contém exercícios claros para utilizá-las diariamente e realizar os seus desejos.

Você pode curar sua vida, de Louise Hay.
Louise Hay é uma pioneira da autoajuda moderna e curou-se de um câncer utilizando os seus princípios de amor-próprio amplamente elogiados. Ela agora tem o seu próprio império, que inclui uma editora e tudo mais. Esse é também um dos meus livros favoritos, embora seja cheio de referências espirituais e místicas, repleto de afirmações e um tanto sentimental e meigo demais – mas para falar do importante tema do amor-próprio não existe nada melhor. A parte final do livro é dedicada ao corpo e como podemos ligar doenças e machucados a padrões de pensamentos negativo, ou seja, se você quebrou a perna, Louise mostra que isso aconteceu porque você estava com medo de avançar (ou algo assim, não me pergunte como é) e depois mostra uma afirmação sobre como curar a si mesmo. Um amigo meu se curou de uma doença com a leitura das práticas recomendadas por esse livro, a ponto de deixar os médicos perplexos.

Criando dinheiro e prosperidade, de Sanaya Roman e Duane Packer.
O título é um pouco enganador porque o conteúdo vai muito além do dinheiro, porém, considerando que a maioria das pessoas quer

ganhar mais dinheiro, a boa notícia é que poderão conseguir isso, até muito mais que o esperado, se lerem o livro e fizerem o que ele recomenda. Além de ensinarem como ganhar dinheiro, os autores também dão instruções claras sobre a remoção de bloqueios, meditação, manifestação, trabalho com energia, obtenção de clareza etc. Enfim, o livro trata de tudo que contribui para manifestar o desejo de ganhar dinheiro e outras coisas na vida. Fácil de ler e seguir, com exercícios simples e sem usar conceitos profundos enganosos, esse é um livro fantástico para iniciantes e bom de se ter sempre por perto, porque oferece dicas importantes e fala sobre realinhamento.

A ciência de ficar rico, de Wallace D. Wattles.
A primeira frase desse livro me fez fechá-lo e não tocar nele durante anos. O que ela dizia? "O que quer que possa ser dito em louvor da pobreza, a verdade é que é impossível viver uma vida completa, ou uma vida bem-sucedida, a menos que se seja rico". Oiiiii? Que coisa horrorosa! Isso ofendeu o meu coração hippie até que entendi o real significado da frase, e, hum, realmente não dá para viver uma vida completa ou bem-sucedida se você não for rico... não se você quiser se expressar amplamente, de qualquer forma. "Rico", aqui, significa simplesmente que você tem tudo de que precisa para compartilhar plenamente seus dons com o mundo e se manter na vibração mais elevada, não importa o que isso signifique de fato para você. Além de recomendá-lo tranquilamente para a maioria das pessoas, eu sempre o leio. Mas é melhor se preparar, porque o livro é um "tapa na cara" se você ainda estiver trabalhando em questões sobre a necessidade e a importância de ter dinheiro.

Quem pensa, enriquece, de Napoleon Hill.
Esse é outro concorrente na categoria "o melhor livro sobre a consciência da riqueza", além de ser outro clássico. Esqueci-me de citar

que o livro de Wallace Wattle também é bem antigo, mas, alôô, basta olhar para o nome do cara. De qualquer forma, Napoleon Hill entrevistou os empresários mais bem-sucedidos de sua época para reunir as informações desse incrível guia de como ganhar dinheiro. Leio sempre, também. É uma obra que vai direto ao ponto e detona, suas instruções são simples e fáceis de seguir. Faça o que o autor diz (faça tudo mesmo) e você vai passar a dar as cartas no jogo da vida.

Finding Your Own North Star: Claiming the Life You Were Meant to Live, de Martha Beck.
Já ouvi Martha falar, li muito sobre a obra dela e adoro sua voz refrescante, brilhante e hilariante. Esse livro é impressionante porque percorre alguns bons passos e faz ótimas perguntas necessárias para se obter a tão procurada clareza. A autora ensina com maestria a olhar para o passado para se conectar com seu corpo e obter clareza e orientação. Martha tem há muitos anos um instituto bem-sucedido no segmento de *coaching* que é um dos meus favoritos na área.

Getting to I Do: The Secret to Doing Relationships Right, da dra. Patricia Allen.
Tenho certeza de que rasguei a capa desse livro antes de colocá-lo debaixo do braço e sair por aí, mas, apesar de seu título imperdoável (em tradução livre, "Enfim, casada: O segredo para acertar nos relacionamentos"), o livro apresenta alguns verdadeiros achados sobre a diferente natureza de homens e mulheres a respeito dos relacionamentos. Escrito para mulheres por alguém que orientou milhares de casais felizes em relacionamentos de longo prazo, é uma obra repleta de ideias e dicas brilhantes sobre como encontrar e fazer parte de um relacionamento dos sonhos. Tal como acontece com outros livros, talvez você não concorde com algu-

mas partes (em relação a sexo, a autora parece uma mãe cristã rigorosa), mas há muitas informações valiosas e é uma leitura que definitivamente vale a pena para homens e mulheres.

Ame a realidade: quatro perguntas que podem mudar sua vida, de Byron Katie.
Leia esse livro! Eu exijo! Ele é o Santo Graal para ser feliz nos relacionamentos. Seguindo o que Katie chama de "A obra" – que essencialmente se resume a fazer quatro perguntas simples e profundas para si mesmo –, esse livro leva umas dez páginas para mostrar os passos de "A obra" e mais umas duzentas mostrando estudos de casos. É basicamente como assistir Katie operando sua magia em todo tipo de gente – de pessoas que sofreram terríveis estupros, que perderam os filhos ou as que almejam casamentos mais felizes. Ela os conduz por seu processo e eles de repente encontram paz e liberdade. É muito legal e "A obra" é muito fácil. Quando ler esse livro, recomendo que comece pelos estudos de casos e depois leia – e realize – "A obra". Ver Katie fazendo isso repetidas vezes vai tornar mais fácil para você conseguir melhores resultados quando fizer suas tentativas.

The Way of the Superior Man: A Spiritual Guide to Mastering the Challenges of Women, Work and Sexual Desire, de David Deida.
Esse livro é feito para homens, mas as mulheres devem lê-lo também, caso queiram entender como os homens funcionam. Com explicações brilhantes e fascinantes sobre o sexo oposto, ele me fez respeitar os homens ainda mais. E os caras para quem o sugeri disseram que se trata de um livro bastante empoderador. Ele fala sobre e define a mais alta versão da masculinidade, lembra às mulheres por que amamos tanto os homens e lembrando aos homens que eles são/podem ser impressionantes.

Seminários

PAX – Allison Armstrong
Participei de um dos seus seminários brilhantes para mulheres, chamado "Entendendo os homens, celebrando as mulheres", que abordava a diferença entre os sexos e me deixou de queixo caído – como pude chegar tão longe sem saber nada disso? Para mim, foi um evento muito bem-feito e nem um pouco brega. Fui somente a esse seminário, mas gosto muito das gravações disponíveis no mercado e ouvi muitos elogios sobre outros *workshops*.

Instituto Hoffman
Ok, você pode achar que esse instituto é uma piada. Porque estamos falando de esmurrar travesseiros com bastões de beisebol, aos gritos, casar consigo mesmo e entoar canções de ninar para sua criança interior – enfim, coisas que fariam a maioria das pessoas sair correndo. A proposta é tão exagerada que você acaba dando uma chance a ela, até porque não haveria muito mais o que fazer. Felizmente, o instituto é administrado por pessoas doces, qualificadas e com excelente senso de humor a respeito do que pedem que os clientes façam. O seminário dura uma semana ininterrupta, e você faz uma escavação profunda do seu passado e de suas crenças limitantes para enfim livrar-se delas. É como fazer uma limpeza do cólon para mandar embora as suas crenças limitantes. Eu amei e odiei na mesma medida, mas o recomendo demais. É brilhante e transformador (e a comida é ótima).

Outros bons oradores que recomendo: Martha Beck, Esther Hicks, Marianne Williamson, Byron Katie, Wayne Dyer, David Neagle, Deepak Chopra, Gabrielle Bernstien.

AGRADECIMENTOS

Agradeço a todos da fazenda engraçada, especialmente ao cavalo chamado Horseface McGee e a Cabra Número Um e a Cabra Número Dois por me fazerem companhia, olharem para mim enquanto eu escrevia, me acordarem e me mostrarem que eu era capaz de amá-los incondicionalmente enquanto eles mastigavam a porta e faziam cocô por todo o sofá. Agradeço demais ao meu agente Peter Steinberg por todo o trabalho árduo, apoio e camaradagem. Obrigada a Gina DeVee por salvar os dias com boas sacadas, humor e um amor cruel pela caneta vermelha. Agradeço também a Alice Fiori e Bill Campbell por sua amizade, generosidade sem fim, apoio e pelos lençóis com alto número de fios. Obrigada a Jennifer Kasius, Monica Parcell e todos da Running Press, Anders Pederson, Crystalyn Hoffman, Julie Faherty, minha doce mãe, Michael Flowers, Katharine Dever e ao Universo, por toda sua grandiosidade infinita.

Impressão e Acabamento:
INTERGRAF IND. GRÁFICA EIRELI.